미완의
삶

미완의 삶

1판 1쇄 발행 ┃ 2021년 6월 1일

지은이 ┃ 채홍석
발행인 ┃ 이선우
펴낸곳 ┃ 도서출판 선우미디어

등록 ┃ 1997. 8. 7 제305-2014-000020호
130-100 서울시 동대문구 장한로12길 40, 101동 203호
☎ 2272-3351, 3352 팩스: 2272-5540
sunwoome@hanmail.net
Printed in Korea ⓒ 2021. 채홍석

값 13,000원

ISBN 978-89-5658-667-0 03810

미완의 삶

채홍석 산문집

선우미디어 sunwoomedia

책머리에

미수(米壽)를 맞아 누군가 너의 인생길에서 무엇을 남겨 놓고 가고 싶으냐고 묻는다면 선뜻 대답할 말이 없다.

그러나 호랑이는 죽어서 가죽을 남기고 사람은 죽어서 이름을 남긴다(虎死留皮 人死遺名)는 말대로 사람은 후세에 아름다운 이름을 남기고 싶어 한다. 나는 묘비에 이름 석 자만 남게 될 것 같아 내심 걱정과 조바심으로 보낸 날들이 많다.

미수를 지나 천수(天壽)를 다할 때까지 하나님이 주신 훌륭한 후손들 양육을 빼고는 특별히 남겨 둘 것 없지만 평범한 인생살이를 질경이같이 살아온 발자취 중에 그냥 버리기는 아까워 혹 후손들에게 참고가 될까 싶어 졸필이지만 남기려 한다.

졸작이지만 2003년에 시문집 ≪풋사과≫를 상재했고, 2010년에 시문집 ≪내 삶의 메아리≫를 출간했다. 올해는 산문집 ≪미완의 삶≫을 펴내며 바쁜 생활을 하는 분들에게 서툴게 쓴 내 책까지 읽어달라고 하니 매우 송구하게 생각한다. 아무래도 이번 수필집이 내 마지막 책이 될 것 같아 더 애착이 가는 것은 사실이다. 부디 따뜻한 시선으로 보아주기를 바란다.

무지무식한 졸필덩이를 갈고 다듬어 한 권의 책으로 엮을 수 있게 지도해 주신 김남순 선생님과 서초자전수필문우회 여러 문우와 선우미디어에 감사드린다.

2021년 미수(음력 5월 20일) 기해 쓰다

채홍석

차례

2부 나의 꿈 미완(未完)일까

3부 신토불이와 삼대

4부 나는 수조안 활어다

5부 충효(忠孝)는 살아있는가

6부 아내와 함께 걸어온 60년 세월

1부

대가를 바라지 말고
글을 쓰자

옛것 낡은 것이 좋다

젊어서는 새것이 좋더니만 이제는 낡은 것, 헌 것, 옛 것이 더 좋다. 헌옷은 입기에 편안하고 새 옷은 껄끄럽다. 옛날에는 솜옷을 베옷을 명주옷을 입어도 몸이 가렵지 않더니만 요사이 새 옷만 입으면 몸이 알레르기를 일으킨다. 그래서 지금은 헌옷 낡은 옷만 찾아 입는다.

요즘 트롯이 유행하는데 이것 역시 옛 노래이기에 유행하는가 싶다. 비뚤어지고 망가지는 슬픈 세상을 한풀이 하듯이 한 많고 설움 많은 내용들이다. 〈너 늙어봤냐〉 노래는 왜 불리지 않은 지 알고 싶다.

〈고향이 그리워도 못가는 신세〉란 옛 노래를 음미해본다. 해마다 명절만 되면 고속도로가 꽉 막히는 고향 가는 행렬을 볼 때 그리워도 갈 수 없는 신세를 알 만하다. 소 팔아 도망쳤던 정주영 씨도 죽기 전에 고향을 찾지 않았던가.

인스턴트식품이 넘쳐나지만 옛 식품이 나는 좋다. 묵은 된장, 묵은 김치, 숙성된 젓갈, 홍어 등이 좋다. 하지만 묵는 것도 숙성도 지나치지 않게 묵고 숙성되어야 한다. 묵는 것과 숙성이 지나치면 썩어버린다.

나는 요사이 신문에 실린 미국대통령 선거결과를 보고 미소를 머금는다. 선출된 대통령이 미국 역사상 최고령이라니 그 나라 국민들도 많이 반성하고 선출한 것 같다. 노인의 지혜와 경륜을 소중히 여기고 활용하도록 세계대통령으로 선출한 것 아닐까. "늙은이는 뒷방 구석으로…"라 외치던 무지한 무리들이 깨달았으면 좋겠다. "노인 한 사람이 죽으면 도서관 하나가 불타는 것과 같다"는 아프리카 속담처럼 어느 사회든, 그 사회를 만든 어른 세대의 삶의 지혜는 뒤에 오는 세대에게 귀한 자산이 아닐 수 없다. 특히 노인세대가 이룬 성취를 짓밟고 망가뜨리면 미래는 없다.

그러기 위해 '한 번도 경험해 보지 못한 나라'로 가자고 부르짖는 무리들은 옷깃을 여미고 미국대통령 선거를 지켜보아야 할 일이다.

북쪽은 늙은 김일성의 유훈통치를 한다. 3대를 이어가면서 거짓말만 해댄다. 남쪽은 늙은 이승만대통령의 유훈을 외면하면서 종북통치 3대로 이어가고 있는 것만 같다.

노인들이여! '노인들의 나이는 계급장이 아니라 빚이다. 일찍 죽은 사람들에게 진 빚이다.'라는 말을 어떻게 생각하는가. 오늘을 살아가는 노인이여! 옛것 낡은 것 멀리하는 젊은이에게 무엇을 가르쳤는가? '노인의 지혜는 부를 뛰어 넘는다'는 말이 있다. 늙은이여! 부끄럽지 않게 바르게 사는 방법을 젊은이에게 가르쳐주고 보여주자.

(2020. 11.)

내가 잘 한 일

험한 세월 살아오면서 내가 잘 한 일이 있었을까. 생각하니 잘 한 일보다 못한 일이 더 많은 것 같다. 잘 한 일, 못한 일을 되풀이 하면서 오늘에 이르렀다. 원래 출세한 사람도 못되고 그냥 평범한 사람이었으니 삶도 평범하다. 그 중에 대가족제와 신앙을 갖게 된 것이 개인적으로 잘한 일로 생각된다.

어릴 때 가난한 집안이어도 대가족이었다. 위로 형 넷과 아래로 동생 둘, 총 칠남매와 엄마아빠 아홉 식구였다. 조반석죽에 더러는 굶기도 했지만 대가족이 싫다고는 생각해보지 않았다. 그런 연유로 나도 장차 대가족을 갖겠다는 생각을 하고 있었던 모양이다.

1개월 월급 쌀 한가마 값인 7,8천원 받으면서도 장가갈 생각을 했다니 현대젊은이들 같으면 무모한 짓이라고 여길 것이다. 그러나 나이 만 26세에 결혼했다.

결혼할 준비도 못하고서 결혼하겠다니 현대인 같으면 불장난이라고 비웃었을 것이다. 군인 신분이었으니까 목표를 향해 밀어붙이면 된다고 생각했었다. 집이 없어도 방 한 칸만 빌리면 되고, 그 방안에 간물궤짝 한 개, 가사도구로 냄비 1개 밥그릇 국그릇 수저만 있으면 족했다. 그러나 큰 문제점이 있었다. 세례를 받아야 결혼식을 올릴 수 있었다.

주민등록 하듯 세례는 교인의 필수 과정이다. 그러나 고등학교 시절부터 교회에 출석하기는 했으나 세례 받을 생각은 하지 않았다. 무려 7년 여간 일요일이 되면 성경책을 품에 감추고 다니는 '문지방만 밟은 교인'이었다. 그런 생활이었으니까 어느 한 곳에 등록하여 세례 받지 못했다.

장가는 가야겠고 세례는 받아야겠고 마음은 다급했다. 교회 찾아 등록하고 절차를 밟아 세례 받자니 몇 달간을 기다려야했다. 그래서 근처 미군부대 군목인 '윌리암 야니스란'씨를 찾아가 부탁했다. 결혼 전에 무조건 세례를 받는 조건이었다. 장가들겠다고 순수한 마음으로 세례 받았으니 마음은 더 평안했다.

예수님 앞에 등록하고 결혼식에 당당하게 나가 목사님 주례로 친지의 축하를 받으며 조촐하게 식을 올리고 새 출발을 하였다. 오늘날 생각하니 세례를 받고서 결혼하여 부부가 되어 새 출발한 것이 나로서는 자랑스럽다.

결혼 후 동서남북을 누비면서 단칸방 생활에서 시작하여 내 집

마련하게 되었고, 두 식구에서 한 아들 두 딸을 낳아 다섯 식구가 되었고, 거기서 손자 손녀 낳으니 13식구가 되었다. 그리고 아들 식구 넷과 우리 둘, 여섯명으로 가족 삼대가 한 지붕 아래 대가족으로 산다는 것이 내 자랑이다.

오늘 손부될 처녀를 처음 만나보았다. 다소곳하나 품위 있고 모나지 않고 용모 단정하고 건강해 보이는 자세, 손자와 같은 나이 모두가 좋게 보였다. 공교롭게도 송지현(宋知賢) 채동현(蔡東賢) 이름 끝 '현'자까지 같아서 이런 만남이 드문 인연인 것 같다.

손자와 손부될 처녀를 보고 덕담삼아 손자와 '닮은 얼굴'이라고 했더니 손부될 처녀는 "동현 씨는 할아버지를 닮아 미남인 것 같다."고 답했다. 손자는 금년이 만 28세, 요즘 자녀들이 결혼을 하지 않아 고민하는 부모들을 볼 때 다행인 것 같다.

우리 사위, 손자손녀 모두가 하나님을 믿는 신앙인이다. 그러나 손부될 처녀는 부모 따라 천주교인이었다. 지금은 손자 따라 같은 신앙을 갖겠다니 믿음직한 우리식구된 신부감이다.

나는 '결혼과 신앙'을 우리 가문의 전통으로 삼겠다고 생각했다. 그래서 내가 결혼한 것과 예수 믿어 세례 받은 것이 내게 준 하나님의 축복이고 일생에 잘한 일로 자랑하고 싶다.

(2019. 1. 13)

대가를 바라지 말고 글을 쓰자

경제적 사회생활에서 물러나 남은 세월 무엇을 하고 살아가야할까 많은 고민을 했다. 여가시간이 많다고 허송 세월을 하게 되면 삶의 가치가 떨어질 것이다. 그래서 우선 취미생활을 시작했다.

그동안 오래도록 해 오던 테니스, 등산, 볼링 등이 무릎통증을 유발하여 전부 그만둘 수밖에 없었다. 어느 친구가 골프가 좋다고 알려주어 즉시 습을 했더니 성하던 허리까지 통증이 와 또 중단해 버렸다. 수영이 좋다고 누군가 귀띔을 해서 수영장을 찾아 처음부터 배웠다. 수영이 건강에 도움을 주는 것이 사실인 것으로 느껴 20여년 지속하고 있다. 육체적 운동으로는 수영이 좋은데 정신적 운동이 부족함은 느꼈다.

누군가 '고스톱'이 정신건강에 도움을 준다기에 친구들과 함께 시작했다. 그러나 그것만으로도 정신건강을 다 지킬 수 없다고 생각되어 고민하던 중 모 선배가 서초여성회관에서 실시하는 '자서

전 쓰기' 공부가 좋을 테니 가서 배워보라고 하여 곧장 찾아갔다.

첫날 수업을 시작했는데 워낙 자질이 부족한 탓에 글을 쓴다는 것은 속된 말로 '개 발에 편자' 같이 느껴졌다. 그러나 강의를 한 두 번 듣고 보니 뭔가 들을만한 묘미를 느끼게 됐다. 대가를 바라고 쓰는 글쟁이가 아니니 잘 쓰든 못 쓰든 문제 되지 않는다 하여 자유로운 마음으로 글을 쓰게 되니 마음마저 평안해졌다.

군인출신은 목표를 선정하면 '초지일관' 하는 정신이 있다. 나 역시 자존심을 팽개치고 글이 되든 말든 쓰기에 전념했다. 그래서 잘못 썼다고 여기면서도 쓴 글을 국민학교 때 선생님 앞에 내민 듯이 선생님께 수정해주기를 바라서 내밀었다. 그 다음 주 수정해 주는 글이 면구스러울 정도였다. 내 자질이 그것뿐인데 누구를 탓하리요. 그래도 안면몰수하고 쓴 글을 또 선생님께 교정 받았다. 수없이 되풀이하여 수정 받을수록 깨달음이 늘어나는 것 같았다.

그렇게 몇 해를 공부하던 중 어느 날 선생님이 서초구청 주최로 〈어머님〉에 대한 수필 공모전이 있으니 한 편씩 써내라고 했다. 무식이 용감한 법, 〈어머님 전 상서〉란 글을 한 편 써서 선생님의 도움을 받아 응모했다. '솥뚜껑으로 자라 잡듯' 뜻밖에 입상되지 않았는가. 스스로 으쓱해져 글을 쓰는데 더 용기를 내게 되었다.

그래서 되풀이 수정 받은 글을 모아 자전수필 책 한 권을 내자고 결심했다. 평생에 처음 2003년에 〈풋사과〉란 시문집을 냈다.

이를 스스로 자랑하고 싶어 가족, 친지, 동창, 친목 단체, 기타 지인들에게 수백 권을 배포했다.

잘 썼다 못 썼다 반응이 없었다. 가족들마저 무관심했다.

대가를 바라고 쓴 글이 아니니 마음에는 상처는 받지 말자고 다짐했다.

첫 번째 책이 실패작이라서 글쓰기를 중단할까도 했지만 '시작하고 중단하면 안 하는 것만 못하다'는 생각이 들었다. 그래서 또 강의교실을 찾았다. 그때 선생님은 또 용기를 주었다.

"어르신들이 쓴 책 한 권이 손자의 책꽂이에 꽂혀 있다고 생각하면 얼마나 흐뭇하겠어요."란 말을 했다. 나는 '첫술에 배부를 수 없다' '알아주지 않아도 글을 쓰자'라는 마음으로 꾸준히 썼다.

드디어 두 번째 책을 내기로 했다. 2010년 〈내 삶의 메아리〉시문집을 또 냈다. 아무도 안 읽어도 우리 가족들만 읽어주어도 좋다. 내가 묻힐 곳까지 표시해 유언처럼 써보았다.

그리고 또 1차 발송한 명단대로 몽땅 보내주었다. 역시 반응이 없었다. 아마 책읽기보다 핸드폰 읽기를 좋아하는 세대에 유명인이 쓴 글도 잘 읽지 않는 세대에 나 같은 이가 쓴 글을 누가 읽어주리라고 바라는 것은 착각이었다.

그러나 손자들의 책꽂이에 책 한 권 더 꽂으리라 생각하며 스스로 기뻐했다. '내가 쓴 글은 대가를 바라고 쓴 글이 아니다.'라고 자위하고 코웃음 지었다. 이렇게 쓰는 동안 '대가는 내가 스스로 받았다'고 느꼈다. 글 쓰는 20여 년 간 정신건강의 영양소가 되었다고 믿기 때문이다. 나에게는 이것보다 더 큰 보상이 어디 있을까 싶었다.

며칠 전 친지가 돌아갔다는 뉴스를 듣고 그의 이름 석 자를 인터넷에 쳐보았다. 그의 인적 사항이 나타나 좋았다. '범은 죽어서 가죽을 남기고 사람은 죽어서 이름을 남긴다.'라는 옛말처럼 그는 세상을 잘 살아 이름 석 자를 남겼지만 나는 무엇을 했을까 자문해보았다.

나는 누구인가? 호기심이 나서 내 이름도 인터넷상에 나타나 줄까? 네이버(NAVER)를 두드려보았다.

화면에 '≪내 삶의 메아리≫(채홍석 시문집 채홍석 저, 선우미디어. 2010.07.10.)'이라고 나타났다. 이어 서문의 구절, 이 책은 한 시대를 살아온 인생역정에서 체험하고 느끼고 아팠던 시대상을 남겨놓아 후손들에게 작은 교훈이 되고 체취를 느낄 수 있도록 도왔다. 일제치하에서 가난하게 태어나 해방과 동란을 겪었던 저자는 나라의 귀중함과 고생, 배움의 소중함에 대한 글들을 담았다는 내용이 나왔다.

또 "≪풋사과≫(채홍석 저 선우미디어 2003.05.05.)는 저자가 고희를 맞아 그간 어려운 시대를 살아온 '삶의 흔적'들을 통해 독자나 후손들에게 작게나마 감동을 주기 위해 쓴 시문집"이라는 설명이었다. 이렇듯 과분하게 소개되었다.

그렇다면 야후(Yahoo)에서는 어떻게 나타날까 해서 또 이름 석 자를 두드렸다. 같은 이름만이 많이 나타날 뿐 실제 나 아닌 동명이인뿐이었다.

이어 행여나 싶어 '작가'란을 두드려 보았다. 뜻밖에 나의 사진과 발간한 두 권의 책에 대하여 상세하게 나타나지 않은가. 나는 책을 낸지 15년이 되었는데 무심하게 지내다가 오늘에야 인터넷에 올라있었다는 것을 알고 흐뭇했다.

'호랑이는 죽어서 가죽을 남기고 사람은 죽어서 이름을 남긴다'는 속담에 눈멀지 말고 '읽어 주는 사람 없어도 글을 쓰자.' '대가를 바라지 말고 글을 쓰자. 마음의 양식으로 글을 쓰자.' 그러면 보상은 스스로 받을 것이라는 마음만 지니고 오늘도 기쁜 마음으로 글을 쓴다.

고승과 소승의 예화

큰스님과 작은 스님이 함께 불경을 구하러 천초국으로 향해가고 있었다. 그때 그 둘의 앞에 작은 강 하나가 있어 고승과 소승이 강을 건너려는데 한 아낙이 강을 건너지 못하고 발만 구르고 있었다. 그러자 고승과 소승이 서로 쳐다보다가 고승이 아낙을 업고 강을 건너 주자 아낙은 고맙다는 말만 하고 어디론가 사라졌다.

둘은 말없이 한참 걸어가다가 소승이 고승에게 물었다.

"스님은 어찌하여 수련하는 몸으로 아낙을 등에 업을 수가 있단 말입니까? 그것이 수행자의 올바른 자세입니까?"

고승은 소승에게 말했다. "난 그 아낙을 아까 내려놓았는데 넌 아직 내려놓지 못하고 있구나!"

이미 지나간 일에만 정신을 팔리는 건 지금의 현실을 처리할 능력이 없다는 뜻이다. 즉 소승적 사고다. 고승은 아낙을 업었다는 것보다 불경을 찾아 천초국으로 가는 것이 더 급했고, 소승은 아낙을 업은 것만 신경 쓰고 있었다.

사람들은 이들 둘 중 어떤 쪽일까? 사람들을 소승적 사고를 가지고 산다. 이미 내려놓은 지 한참 지난 아낙에 대해서만 신경 쓰고 있다. 고승이 아낙을 업고 갈 때 손바닥의 위치가 둔부였는지, 허벅지였는지, 손가락의 움직임은 없었는지 사적 감정은 없었는지에 관심을 갖게 된다.

지금 우리가 70년 전 일로 싸울 때인가? 선진국은 생활 로봇, 드론 배달 같은 기술이 더욱 발전되어 가는데, 언제까지 위안부, 욱일기, 죽창가, 강제징용 따위로 하루하루를 채워나갈 것인가? 앞으로 나아갈 자신이 없어서 뒤만 돌아다보는 것은 아닐까?

몇몇 기업들이 쌓아올린 경제성장을 본인의 성장과 동일시하고, 그래서 일본조차 우습게 보면서 지난 과거로 이 난동들을 부리는 건가?

프랑스인들이나 영국인들이 독일제품 불매운동을 했다는 이야기를 들어보지 못했다. 지금 이 나라는 자신들의 정권을 연장하기 위해 나라의 미래라는 담보로 법석을 부리는 불장난 정부를 응원하고 박수 보내는 멍청이의 뜻대로 돌아가고 있는 것 같다.

우리는 언제쯤이면 그 아낙의 이야기를 내려놓고 살아갈 수 있을 것인가? 멍청하고 모자란 지도자는 평화경제의 백일몽을 지껄이고 있다. 짝사랑하는 상대는 미사일과 핵으로 싹쓸이 하겠다고 공갈을 치는데도…. 진실은 '평화경제'라는 용어의 뜻, 목적의 속임수 용어로 국민을 현혹하는 사탄들이면서….

이 세상에 '곡학아세(曲學阿世)'가 난무하는 작금의 현실이 안타깝다. 우리는 과거를 팔아 기생하려는 존재, 역사를 되돌려 팔고, 지난 정치를 팔고, 발전해오는 경제를 팔고, 국가안보를 팔고, 사회도덕 윤리를 팔고, 사고 사건을 팔고, 불의와 반항을 정의로 둔갑해 팔고, 무엇이든 들쳐내 과거에 매여 기생하는 불의의 칼날을 휘두르는 '소승적 사고'를 하루속히 척결 못하면 나라의 장래가 위험하다.

(2021년 2월)

내가 져야 할 짐이라면

태어날 때부터 하나님이 나에게 "너는 무거운 짐 지고 가라"고 명하신 것일까.

맨 처음 준 짐은 '가난'의 짐이었다. 그러나 모든 이웃이 가난과 함께 살다 보니 가난한 줄 모르고 자랐다. 칡뿌리, 고사리 뿌리, 송피 베껴 먹고도 죽지 않고 살아났으니 가난의 짐도 쉬 지고 온 것 같다. 점점 자라면서 가난의 짐을 알게 되고 그 짐이 점점 더 무거워질 때 너무나 싫어 내 후손에게는 절대로 물려주지 말자고 다짐하고 살아왔다. 그 짐을 오래 지고 오다가 어느 순간 그 짐을 내려놓을 수 있었다.

둘째 '무지'란 짐이었다. 가난의 짐과 겹쳐지니 배로 무거워졌다. 수단방법 가리지 않고 무지에서 벗어나려고 입술 깨물고 살았다. 어머니 따라 밭고랑 김매면서 '천자문' 외우고, 나뭇짐 지고 내려오면서 '가다가나' 외우고, 야학하는 아줌마 어깨 넘어 글짝을 줍고, 그런 시절 지나가니 무지의 짐은 점점 더 무거웠다. 서당 글 몇 달, 간이학교 몇 달, 국민 학교 한 해 반, 원예중학 몇 달, 고등공민학교 몇 달을 거쳐서 고등학교를 겨우 졸업했다.

진학 못하면 군대가야 하는 시절, 군인으로 몇 해 보냈지만 대학모 한번 써보는 것이 소원이었다. 그래서 군인모자 쓰고 2부 대학에 다녔다. 부족한 수업일수 친구가 대신 보충해주고, 부족한 공부는 자습하며 겨우 학점을 따서 어렵게 졸업장을 받게 되었다.

졸업식 날 가슴 부풀어 학교식장에 달려갔더니 '수료증'만 주지 않는가? 학업성적 불량으로 '수료증만' 주는가? 실망하고 돌아왔다. 아픈 마음으로 있는데 '대학졸업국가고시'를 치른다고 통지가 왔다. 성북구 동선동 서울대 강당이 고시장으로 지정되어 있어 떨리는 마음으로 찾아갔다. 마음 졸이며 '국가고시'를 몇 시간 치렀다. 그리고 기다리고 있었는데 얼마 뒤에 지상에 합격 발표가 나왔다고 전달받았다. 발표문을 들고 학교에 달려갔더니 정식 '대학졸업장'을 주었다. 국가에서 인증한 대학졸업장을 받았건만 세상에는 알아야 할 지식이 너무나 많다. 내가 진 짐 비록 내려놓지 못해도 내 후손에게는 지워주지 말자고 또 다짐하며 살아왔다.

셋째 '국가안보'의 짐이었다. 일본제국주의 아래 나라 잃은 아픔을 뒤늦게 알았고, 빨치산 난동에 치를 떨며 살았고, 반란폭동 공포를 겪었고, 동족상잔을 치렀고, 간첩책동에 위협을 느끼면서 살았다. 군과 국가 안보에 젊음을 바쳐서 살아왔다. 안보 일선에서 물러나 나라를 바라보니 안보 정권과 반 안보정권이 상존하고 있었다. 반 안보로 나라가 어려울 때 거리에서 외쳤건만 거리에 나갈 힘마저도 이제는 없다. 내가 질 '안보'의 짐은 끝까지 내가 지고 가려고 한다.

넷째 '질병'의 짐이다. 무거운 짐들을 잘 지고 겨우 여기까지 와서 보니 이젠 질병이란 무거운 짐이 덮쳐왔다. 아무리 벗어나려 발버둥쳐도 벗어나지 못하는 질병 그것과 동거해야 했다. 아마 평생 지고 갈 짐인가 싶다.

내 병만이라도 내가 지고 가기 힘겨운데 아내병도 일부 같이 질 수밖에 없다. 나는 배를 갈라 병든 부위를 절제했고, 좁아진 혈관에 파이프를 넣고, 마모된 관절은 약으로 보충하고, 허약해진 위장, 눈코는 약으로 계속 치료하고, 이빨은 의치로 대치 유지하는 등 내 지병은 의술의 도움으로 유지되고 있다.

아내의 지병 중 한 가지 병은 온 가족이 짊어질 수밖에 없는 어렵고도 힘든 짐이다. 넘어져 다치고, 척추가 부러지고, 속병이 들고, 눈귀가 아파도 의술이 해결해 여기까지 왔는데 '머리로 온 병'은 자신은 모르지만 온 가족이 같이 앓아야할 불치의 병이다. 하지만 아내의 병은 일차적으로는 내가 져야한다. 아내의 머리에 온 병은 잠복기가 아주 긴, 우리 둘 첫 만남부터 병균이 달라붙었던 것 같다. 가난에 원망 질타가 붙었고, 이질적 가문에 병원이 붙었고, 이질적 성장환경에 의부증이란 병균이 붙었고, 이 모든 곳에 '불신 비방 공포 강박' 조력하는 병균이 뒤덮고 난리친다.

아내는 '하나님이 짝지어주신 뜻'을 믿음의 눈으로 볼 수 없게 된 병든 아내다. 병든 아내는 내가 지고 가야할 숙제다. 종종 다정다감했던 본래의 아내로 돌아오길 바란다.

내가 너무 힘들 땐 하나님의 말씀을 붙잡고 외친다. "수고하고 무거운 짐 진 자들아 다 내게로 오라. 내가 너희를 쉬게 하리라(마11:28). 이는 내 멍에는 쉽고 내 짐은 가벼움이라(마11:30)"는 예수님 말씀을 ….

(2020. 11.)

쥐잡기

나는 어느 날 정원을 거닐다가 죽은 쥐를 보고 정원수 곁에 묻어주었다. 나에게는 쥐가 적군이고 원수였다. 원수를 묻어주다니 마치 전투에서 승리한 후 적군을 매장하는 마음이 아니었을까.

30여 년 전 이 집으로 이사해서 그날 밤 잠자리에 누웠을 때 천장에서 찍찍짹짹 쿵쿵탕탕 쥐들의 굿이 벌어졌다. 방비로 천장을 두드리며 조용하라고 경고했지만 쥐들이 들어줄 리 만무했다.

쥐들의 굿판 탓에 며칠간 밤잠을 설치다 보니 이대로는 살 수 없다고 여겨 쥐 잡는 방법을 생각해보았다. 쥐틀, 쥐약 등이 있어도 근본 대책이 못되었다. 쥐를 완전 제압하려면 고양이밖에 없다고 생각했다.

다음날 성남시장에 가서 강아지와 고양이 새끼를 각각 한 마리씩 사왔다. 강아지는 키워 집 밖을 지키게 하고 고양이는 집 안을 지켜주기를 바랐다 개와 고양이 집도 나란히 놓아두었고 먹이도 가까운데 놓아 서로 친해지며 살라고 배려했다.

새끼고양이 소리에 그날 밤부터는 쥐가 찍 소리 않고 조용했다. 그래서 집안이 평화로웠다. 개와 고양이가 서로 어울려 밥을 먹으며 살아가는 모양이 보기 좋았다.

며칠은 평안하게 잘 지나갔는데 어느 날 밤에 또 천장에서 쥐들의 굿판이 재현됐다. 수상하게 여겨 아침 일찍 밖에 나가보니 고양이가 죽어 있었다. 주인의 눈을 피해 밤에 개가 죽인 것이 분명했다. 개와 고양이는 원래 상극이긴 하나 주인의 뜻을 따라 얼마간 같이 살다가 본성을 드러낸 것이다.

'고양이 앞에 쥐'란 상극인 것을 고려해 고양이를 기를 수밖에 없으나 개와 같이 기를 수는 없다는 생각이 들었다. 그래서 가족회의를 열어 논의했는데 그때 손자가 도둑고양이가 어슬렁거리는 것 보고 놀란 일이 있다 했다.

옳다, 떠돌이 고양이를 유인해오자는 힌트를 얻었다. 그래서 그것들이 좋아하는 생선머리와 밥을 섞어 뒤뜰과 앞 정원수 사이에 갖다 놓았다. 그렇게 며칠간 했더니 놓은 미끼가 없어졌다.

그런 날은 천장의 쥐들이 조용했다. 그렇게 고양이 밥을 자주 주었더니 고양이가 새끼를 낳고 하여 득실거리니 쥐들은 우리 집에서 얼씬 못하고 몇 십 년간 평안하게 지내왔다.

그런데 오늘 아침 쥐가 죽어서 정원에 있다니 놀랄 수밖에 없었다. 그동안 쥐가 없어진 것이 아니라 몰래 둥지 틀고 간첩같이 숨어서 살고 있었다는 증거다. 만약 또 고양이가 없어지면 쥐들이 또다시 난리를 피울 것이 분명하다.

쥐들은 매일 고양이 몰래 둥지를 틀고 번식하다 보면 언젠가 저들 세상이 올 것을 믿고 있었던 것 같다.

오래 전에 쥐꼬리를 잘라 학교에 제출하면 상품을 받았던 때가 기억난다. '쥐는 살찌고 사람은 굶는' 당시 들쥐 집쥐가 연간 300만석(생산의 10%) 식량을 훔쳐 먹었다니 쥐는 국가의 원수였다. 이에 '쥐잡기 전쟁'으로 쥐껍질로 코리아밍크가 수출 품목일 때도 있었다.

오늘날은 '국가안보'가 최우선인데 그때는 '식량안보'가 최우선이었다.

"쥐 없는 가정은 명랑한 가정, 조국을 위하여 쥐를 잡자!" 오늘도 들쥐, 집쥐 다 잡아 쥐가 전파하는 많은 병균까지 함께 매장해 버리면 집이나 나라가 깨끗해질 것 아닐까.

(2018. 5)

멸치만한 삶

나는 멸치 반찬을 좋아한다. 많은 물고기 중에 보잘 것 없다고 대접받지 못하던 멸치가 요사이 칼슘이 많아 건강식품이라고 각광을 받는 것 같다.

여행 갔을 때 멸치 떼가 누비는 것을 보면서 저 멸치들이 사람이 쳐놓은 그물에 걸려 밥상에 오르는 것을 보면 함부로 날뛰다가 멸치 같은 신세가 될까 두려웠다.

어릴 땐 어머님이 산나물 팔아 멸치 한 됫박 사 오면 좋은 반찬 감이었다. 시부모에 대한 효도며 온가족에게 선물이기도 했다. 멸치 한 마리 집어먹다가 들키면 어머니는 "어른 밥상에 올려야 할 멸치를 손으로 먼저 집어먹다니…" 하며 꾸중하셨다.

멸치 한줌 넣어서 끓인 시래기 국은 일품이었다. 받은 국을 빨리 먹고 또 한 그릇 더 먹고 싶어 하다가 양푼그릇의 바닥을 보고 멋쩍어한 적도 있다.

된장에 멸치를 넣어 볶으면 최고반찬이었다. 공부할 땐 간혹 멸치볶음 된장을 갖고 자취방에서 내놓을 때 흐뭇했다. 보리밥에 멸치볶음 된장은 일품요리반찬이 아니었던가. 그 시절이 생각나 요사이도 멸치된장볶음으로 상추쌈을 종종 먹곤 한다. 그 시절 멸치를 흔하게 먹을 수 있는 가정은 부유한 가정이었고 우리가정은 5일장에 갔을 때 종종 사다가 어른들의 반찬을 하였다.

여름에는 개를 잡아먹었고, 늦가을이면 약 염소로 잡아 먹기도 했고, 닭은 철을 가리지 않고 병아리가 자라면 수시로 잡아서 영양보충을 했었다.

산촌의 겨울은 산 돼지 노루 산토끼를 옥루로 잡아먹고 꿩은 극약(사이나)으로 잡아먹었다. 여기에 비하면 멸치는 존재가 미미하였으나 산촌마을에서는 귀한 대접을 받았다.

어릴 때 먹었던 멸치는 굵고 시커멓게 보였다. 아마 하등품이었던 같다. 아마 우리 식단에 올라가는 멸치는 하등품밖에 오를 수 없었을 것이다. 중 상등품은 몽땅 일본 사람들이 가져가버리기 때문이다.

요사이도 하등품멸치를 간혹 씹어 보면 옛 시절 길들인 입맛이 되돌아오는 것 같다. 그러나 식구들의 입맛은 나와 달라 그런 멸치는 사오지 않는다.

바다에서 나는 멸치는 다른 해물에 비하면 보잘 것 없는 존재다. 그럴망정 나의 밥상에는 대접을 받는 존재다. 멸치를 선물로 받을 땐 여느 선물보다 더 좋았다.

멸치가 자주 밥상에 올랐건만 그 존재가치가 각광을 받지 못하다가 'YS 멸치'로부터 대접을 받았다. 멸치 어업으로 자식의 인생을 대성공시킨 사건이 있은 후인 것 같다.

'YS 멸치' 대접원조는 2008년 9월 30일 97세로 작고한 김영삼 전 대통령의 아버지 김홍조(金洪祚)옹이다. 멸치의 힘으로 아들을 대통령 위치까지 올려놓았으니 말이다. 공교롭게도 멸치아버지의 아들이 대통령이 되고부터 멸치 값이 폭등하였고 인기가 급부상했다는 말도 있었다.

김영삼 대통령 아버지는 아들의 든든한 후견인이었다. 아버지는 남에게 '신세 지지 말라.'고 당부하고 멸치 수 만포를 서울로 보내 명절선물로 쓰게 했다. 그 아버지는 자식이 대통령이 되어서도 청와대를 한번 다녀가지 않았고 한 건의 부탁도 하지 않아 아들에게 부담은 주지 않았다 한다. 정말 그 아버지가 멸치 같은 삶의 본을 보여준 것 같다.

당시 경남 바닷가 마산에서 YS 아버지(고 김홍조) 빈소에 7500명이나 조문객이 왔었다고 보도했다. 멸치 떼의 위력이었다고 느껴졌다.

멸치잡이로 아들의 훌륭한 후견자가 되어 대통령을 시켰고 끝까지 아들의 성공을 뒷바라지하다가 천수를 다하고 세상을 떠났다는 뉴스를 들었을 때 화려하게 스크린을 타고 인기절정의 사람들이 자살을 한다는 소식은 너무나 아이러니한 양극이 아니겠는가.

멸치같이 살던 옹은 천수를 다하고 바다를 휘젓던 고래 같은 인기 있는 사람은 자살을 하다니 이해가 되지 않는다.

나는 멸치를 좋아하듯 멸치 같은 삶을 살고 싶다. 가장 보잘 것 없으면서 우리가족에게나 이웃에게 멸치 같은 존재로 살기를 생활화 하려고 노력해왔다.

오늘도 멸치반찬을 앞에 놓고 최소한 멸치만한 삶을 살아야 되지 않을까 생각한다. 멸치 만한 맛, 멸치 만한 영양가를 가족은 물론 이웃에도 나라에도 준다면 행복한 인생을 살아왔다고 할 것 같다.

(2019. 1.)

'내성발톱'이 준 고통

　나는 육신의 아픔을 겪은 일이 종종 있었지만 오늘만큼 크게 고통을 느껴본 적이 없다. 발톱의 아픔을 덜겠다고 오늘아침 병원을 찾았다가 지독한 아픈 고통을 당했다. 발톱이 살을 찔러 통증이 심해 아들 도움 받아 병원을 찾았다.

　접수대서 왼발 엄지발까락 발톱 뿌리가 아파서 왔다고 했더니 접수대 간호사가 '내성발톱'이라고 하면서 대수롭지 않게 여기는 것 같았다. 자주 아프긴 했지만 병명을 듣기는 처음이었다.

　간호사가 진찰 없이 수술실로 안내해 침대에 눕혔다. 두려워서 진찰 없이 왜 여기 누우라고 하느냐고 물으니까 "선생님이 와서 봐주실 겁니다." 했다.

　긴장이 쌓였는데 의사가 들어오더니 왼발을 들고 "아픈 쪽이 안쪽이요 바깥쪽이요?" 묻는다. 바깥쪽이라 했더니 의사선생은 안쪽이라고 했다. 나는 왼쪽엄지발가락을 중심으로 바깥쪽이라

했는데 의사는 양발을 기준으로 하여 안쪽이라 하지 않는가.

세상일도 보는 사람 기준에 따라 '왼쪽이요 바른 쪽이요'라고 묻는다며 자기생각대로 말하는 두 부류가 있을 것이다.

의사는 그런 말을 건네면서 긴장을 약간 풀더니 조금만 참으라며 마취 않고 그냥 발톱 부위 살점을 찢어내지 않는가. 통증을 못 참아 아프다고 소리 질렀다. 조금만 참으라는 말뿐. 또 발톱 부분에서 무엇을 잡아 뺀다. 참기 힘들어 요동을 치며 소리 질렀다.

아들까지 긴장해서 다리를 꽉 잡고 움직이지 못하게 하고, 의사는 또 살점을 뜯어낸다. 통증을 못 참아 오른발을 굴리면서 소리 소리 질렀다.

그때서야 의사는 "끝났습니다. 잘 참았습니다. 시원하겠습니다." 하고 수술실을 나가버렸다. 남자간호사가 냉동찜질로 통증을 완화시켜주었다. 목격한 아들의 말, 세 번째는 발톱껍질을 벗기고 두 번째는 발톱 일부분을 뜯어내고 세 번째는 뿌리를 뽑아내는 것 같았다고 했다. 세상에 생살을 찢어내는 아픔, 참기 힘든 고통은 얼마나 많이 겪고 있는가.

'내성발톱'은 '내향성발톱'이다. 발톱이 밖으로 자라는 것은 정상적이지만 더러는 속으로 파고들어 사람을 괴롭힌다.

세상 삶에도 내성발톱처럼 비정상적으로 속으로 파고들어 많은 사람에게 고통을 주는 경우가 많지 않을까.

정상적인 자유민주주의 국가에 파고든 '내향성발톱'같은 반 자유 민주 세력들이 고통을 주고 있다. '내향성발톱'은 수술을 잘해 단번에 뿌리가 뽑혔지만 '좌향성 인간들'을 뿌리를 뽑아놓지 못해 오늘날 고통을 안겨주고 있다.

새해 들어 심한 고통을 겪고 나니 많은 생각을 하게 된다. 과거 독립투사들이 당한 손톱발톱에 가한 고문에 어떻게 그 고통을 견뎌냈는지 조금이나마 알 것 같다.

우리 어머니들이 산고를 태어나는 생명을 위해 참아내듯이, 비교할 수는 없지만 오늘 나의 고통도 발가락이 좋아질 희망을 가지고 참을 수 있었다.

오늘날 악한 세대 억울한 올가미에 걸려 기약 없이 육신과 정신의 고통을 당하는 저 많은 사람을 생각하면 눈시울이 달아오른다.

왜 저 악행을 보고도 하나님은 침묵하시는 지 알 수 없으나 불꽃같은 눈으로 주시한다고 말씀했으니 믿고 참을 수밖에 없다.

새해 나의 고통은 '내향성발톱'수술로 끝났다. 많은 고통을 당하는 사람들도 지금까지 받은 고통으로만 끝났으면 좋겠다.

(2019. 1. 5)

2부

나의 꿈
미완(未完)일까

선물로 받은 우산

근래 들어 우산을 사본 적이 없다. 각종기념행사에서 선물로 받는 경우가 많기 때문이다.

어릴 때 비가 내리면 아버지가 도롱이와 갈모를 입고 쓰고 다녔던 기억이 난다. 양손이 자유로워 긴 자루 삽을 잡고 논에 물대는 것을 보았다. 그것이 비를 피하는 장비였다.

그 후 대나무살로 기름먹인 종이우산을 썼는데 바람이 훅 불면 뒤집어지고 부러지기 일쑤였다. 그 후에 비닐우산이 등장했다. 저질우산에서 시작하여 점점 질 좋게 발전해 오늘날 좋은 각종우산이 널리 사용된다. 우리 집에는 현금주고 사기보다 행사에서 선물로 받은 우산이 더 많다. 우산이 넉넉하게 있어도 옛날 우리 아버지 세대를 생각해 우산을 함부로 버리지 않고 오래도록 사용한다.

나보다 아내는 더 오래도록 사용하는 편이다. 내가 30여 년 전처음 일본 여행 때 우산 겸한 양산을 사다 선물 했다. 그 양산을 오랫동안 여러 번 고쳐 쓰기에 아내에게 고맙다고 말해주었다.

근래 들어 선물 받은 우산을 오래 사용하다 보니 낡아서 몇 군데 고장 났으나 고쳐 쓸 마음으로 우산꽂이에 꽂아놓았는데 어느 날 낡은 우산을 찾았더니 없어졌다. 손자가 버렸다고 했다. 손자는 할아버지 뜻을 알지 못했기 때문에 무심코 버린 것이다.

옛날 같으면 "우산 고쳐", 소리치며 다니는 사람이 있었는데 지금은 없으니 내 손으로 고쳐 쓸 수밖에 없다.

과거에는 도롱이 입고 갈모를 쓰던 우리의 할아버지 아버지 세대를 거쳐 해방 후 우리는 선물로 받은 자유의 우산 아래 70년을 잘 누리고 살아왔다. 전적으로 우방의 선물인 우산 아래서 잘 누리고 살아온 것이다.

오늘날 부강하게 잘 살게 된 원인을 모르는 젊은 세대들이 저들끼리 자수성가하여 잘 사는 것으로 착각하고 낡은 우산 버리듯 마구잡이로 버리려하고 있다. 이는 어버이 세대에게 받은 자유의 선물에 대하여 배은망덕한 처사다. 그래서 버리려는 자유의 우산선물을 노병들이 일어나 되돌려 놓았다. 자유우방의 선물을 내가 고장 난 우산을 고치듯이 잘 고쳐서 사용하기에 애착이 더 간다.

그렇게 지내오는 중 또다시 선물로 받는 자유의 우산을 낡았다고 찢어서 버리겠다고 망둥이들이 날뛰고 있다. 붉은 독사의 핵이 널름 거리 이빨 앞에서 저들만이 보호받을 것으로 착각하고 있다.

한번 배신자는 두 번 배신하지 않는다는 보장이 없다. 받은 은혜를 망각하고 자유의 우산을 해치려고 붉은 독사의 무리들이 몰려올 것만 같아 밤잠을 설친다.

핵우산의 무서움을 모르는 철부지들이여 눈을 부릅뜨고 세계를 보라. 핵우산의 노예들의 삶을….

선물로 받은 자유의 우산이 고장 나면 핵우산아래 종노릇 밖에 할 수 없다. 핵우산 아래 종노릇할 것에 흥분하지 말고 선물로 받은 자유의 선물을 원수로 갚으려 말라.

(2018. 8.)

늙은 개가 짖으면 내다봐야 한다

"착한 사람은 있어도 착한 정치는 없다."라는 말이 있다. 이 말을 근래 들어 정말 공감하는 말이다.

예부터 "늙은 개가 짖으면 내다봐야한다."는 말이 있다. 이런 말에는 진리가 숨어있다. 그 진리를 외면하는 자는 바보이든가. 다른 뒷궁리를 하든가 어느 한쪽일 것이다.

나는 태극기를 흔들면서 시내를 행진한 지가 십여 년이 된듯하다. 대부분 늙은이들의 함성이다. 늙은 개처럼 짖어대어도 내다보는 사람이 보이지 않는다. 몇 년 전에는 "늙은이는 뒷방구석으로 가라"고 발언한 사람이 부메랑으로 돌아가 고생하는 꼴도 보았다.

북은 늙은 김일성의 유훈통치를 받들면서 3대를 이어가면서 거짓말만 해댄다. 남쪽은 늙은 이승만대통령의 유훈을 외면하는 통치를 한다. 오히려 종북통치 3대로 이어가고 있다.

경찰과 소방관 500여 명이 사흘 동안 찾지 못한 실종 아동을

30분 만에 찾아냈다는 화제의 주인공은 노인의 경험으로 찾아낸 일본의 78세 오바타 씨다.

"노인 한 사람이 죽으면 도서관 하나가 불타는 것과 같다"는 아프리카 속담처럼 어느 사회든, 그 사회를 만든 어른 세대의 삶의 지혜는 뒤에 오는 세대에게 귀한 자산이 아닐 수 없다. 특히 노인 세대가 이룬 성취를 짓밟고 망가뜨리면 미래는 없다.

노인들이여! "노인들의 나이는 계급장이 아니라 빚이다. 일찍 죽은 사람들에게 진 빚이다."라는 말을 어떻게 생각하는가. 오늘을 살아가는 노인이여 젊은이에게 무엇을 가르쳤는가? "노인의 지혜는 부를 뛰어 넘는다"는 말이 있다. 바르게 사는 방법을 부끄럽지 않게 젊은이에게 보여라.

노인이라고 모두가 지혜로운 것만은 아니다. 노욕(老慾)이나 노탐(老貪), 신체적·정신적으로 보기 민망한 노추(老醜)는 경계해야 한다.

시대에 뒤떨어진 '꼰대' 소리를 듣는 것도 딱한 일이다. 젊은이들과 함께 호흡하며 세대 간 연대를 강화해야 한다. '지혜로운 노인'이 되려는 노력이 중요하다. 그래야 젊은이들에게 희망을 줄 수 있다.

늙은이의 겉모습을 싫어하기보다, 아름다운 지혜가 그 속에서 나온다는 것을 배우는 젊은이가 많은 사회가 되면 얼마나 좋을까.

노인을 공경하고 노인을 보호할 줄 아는 사회가 된다면 복된 사회가 될 것이다.

'귀 풍년에 입 가난이다.'라는 말과 같이 공산당들의 선전을 보라 저렇게 풍성하나 국민은 신음하지 않는가. '무는 개는 짖지 않는다.' 천안함 격침, 연평도 포격, 각종 도발, 핵개발 등등 말하고 있지 않은가.

'거짓 평화의 마약'에 취해서 허덕이는 백성들이여!

평화를 원하거든 하루속히 깨어나 '자유와 인권이 보장되는 평화'로 달려가야 한다. '늙은 개가 짖으면 내다봐야' 하는 그런 지혜를 가지고 나아간다면 진정한 평화가 올 것이다.

(2018. 10)

애마의 상처

나는 50여 년간 자가운전 하고 있다. 내 차를 항상 애마로 불러주고 사랑해주었다. 국산차를 서너 번 갈아타다가 세상이 변하면서 수입산 차를 애마로 맞이했다. 내가 수입산 애마를 좋아할 무렵 사람들도 외국에서 차를 구매하기 시작했다.

나는 항상 나의 애마가 상처를 입을 때면 마음이 아팠다. 시골 친지도 모셔온 여인을 열심히 사랑하다가 그만 상처를 입히고 떠나가니 내가 애마에 상처 입는 것보다 더하게 아파했다. 지금 생각하니 국산 애마를 타던 때는 상처를 입어도 저비용으로 쉽게 고칠 수 있어 좋았다. 그러나 외국산 애마는 고비용에 고치는 것도 여간 까다롭지 않다. 있는 애마도 상처를 몇 번 입었다. 누군가 나의 애마가 미워서 나 몰래 양쪽에 상처를 입힌 것 같다.

몇 해 전에 병원약속이 있어 급히 달려가다가 오른쪽으로 진입해야 되기에 오른쪽 깜빡이를 켜고 서서히 진입하려는 찰라 뒤에서 달리던 차가 머뭇거리지도 않고 나의 애마 우측을 타격했다.

큰 상처를 입었다. 또 최근에는 좌회전 깜빡이를 깜박거리며 기다리는데 앞의 신호만 바라보고 뒤쪽에서 달려 나와 나의 애마 왼쪽을 치고나가 또 많은 상처를 입었다.

나의 애마에게 상처를 준 두 차 역시 수입차였다. 운전자도 똑같은 50대 여자였다. 나의 애마는 '밴'씨인데 두 차 모두가 공교롭게도 'L'씨다. 유럽 출생 나의 애마를 동양 출생자가 공격한 꼴이다. 특히 자가운전 여자들은 앞만 보고 달리는 경우가 종종 있다. 더구나 'L'차는 여자들의 자가용으로 쓰임이 많다고 생각되니 이제는 무조건 접근하지 않고 조심해야겠다.

나의 애마가 좌우에서 상처를 입었으나 고치고 난 후에는 깨끗이 잊어버리고 또다시 거리를 쏘다닌다. 차선을 바르게 볼 줄 몰라 생긴 일이어서 앞으로는 선을 잘 지켜야겠다. 많은 차들이 종전대로 좌회전을 하고 간다고 나도 따라 한 것이 실수였다. 갈 수 없다는 선이 이미 길에 그어졌는데도 그것은 모르고 가려했던 내가 부끄럽다.

세상 많은 사람들이 좌회전하지 말라는 인생 지침선이 그어졌는데도 잊어버리고 그길로 가다가 상처를 입게 되는 일이 많지 않은가. 속담에 '길이 아니거든 가지 말라'고 했다. 이제부터 시선을 앞과 옆 그리고 밑을 잘 보고 돌아가더라도 바른 길을 찾아가려 한다.

(2019. 12. 16. 접촉사고 후에 쓰다.)

모르면 약이요 아는 게 병

'모르면 약이요 아는 게 병'라는 말이 있다. 살아온 세월을 되돌아보니 바로 나를 두고 한 말인 것 같다.

나는 일제 강점기 산간 벽촌에서 태어났다. 조선인인지 일본인인지 모르고 살아왔다. 야학당에서 밤이면 동네 아낙네들이 일본말을 열심히 배우고 있었다.

나는 간이학교에서 말 만한 처녀들 속에 갇혀 울기도 했다. 내이름은 이시가와 고우쇼(石川洪錫)였다. 소화(昭和) 9년에 태어났으니 열 살에 해방되었다. 해방되고서야 이시가와(石川)를 버리고 본래 성 채(蔡)가를 찾았다. 그때서야 일제하에 살았다는 것을 알수 있었다.

그때까지 잘 모르고 동네 아저씨들이 돈벌이로 일본 광산에 간다고, 처녀들이 일본직조공장에 간다고 동네 사람들이 잘 다녀오라고 손 흔들어 보내는 것을 보았다.

봄나물 뜯어 콩깻묵을 넣어 죽을 쑤어먹기도 하고 송기죽을 끓여 먹기도 하고 배만 채우면 족한 시대에 살았다. 무엇이든 먹을 수 있는 것은 마다않고 먹었기에 배만 뚱뚱하였다. 그래서 '올챙이 배'라는 놀림을 받았다. 세상살이가 다 이런 것이려니 하고 살아왔으니 내게는 '모르는 것이 약'으로 산 시기였다.

산촌에 약국이 있을 리 없었다. 배가 아프면 아편을 먹었다. 늦은 봄부터 여름까지는 아편 잎을 따 먹고 그 후로는 아편 진(진짜 아편)을 내서 먹었다. 그것이 유일한 명약이었다.

삼베옷 해 입기 위해 집집마다 삼을 심었다. 가장 좋은 밭 한편에 삼을 잘 길러 늦여름에 베어 내어 삶아 껍질을 벗겨 엄마와 형수 손을 거쳐 베옷을 해 입었다.

지금 와서 되돌아보니 아편과 삼은 마약이었다. 그때는 몰라서 약으로 먹었고, 베옷으로 사용했으니 '모르는 것이 약'인 셈이다. 고향 갈 때마다 양귀비 심었던 밭과 삼을 심던 삼밭을 건너다 바라보면 감회가 깊다.

'모르는 것이 약'인 시대를 지나고, '아는 것이 병인 시대'가 다가왔다. 아는 것을 잘 알면 약이겠지만 '섣불리 아는 것이 병'이었다.

나는 공직생활만 20여년 하면서 사회생활을 섣불리 알고 뛰어들었다. '섣불리 알고 있다는 것'을 '아는 척' 하다가 실패를 수없이 했다. 그 대표적 한 가지를 예로 들자면 일시퇴직금을 받아 동업하자는 사기꾼에게 몽땅 투자하여 회장노릇 2년 만에 빈털터리가 되고 말았다.

'선무당이 사람 잡는다.'는 속담이 있다. 내가 '섣불리 알고' 동업을 했다가 사기당한 것이다. '얕은 지식은 위험한 것이 될 수 있다.'는 말도 있다. 내가 그렇게 된 예다.

지금 나라꼴이 수십 년 전 내 꼴 같다. 국가 안보를 책임진 자가 적의 평화공세에 놀아난다. 북한은 늘 남한을 적화하겠다고 3대를 걸쳐 노려왔다. 정전 후 지금까지다. 우리 민족끼리, 외세배격, 평화, 비핵화, 등등 감언이설의 속아 진실을 보지 못하는 것 같다. 거짓말을 믿는 건지 알면서 그러는 건지 모를 일이다.

식자우환(識字憂患)이란 말이 있다. 이 말은 알기는 알아도 똑바로 잘 알고 있지 못하기 때문에 그 지식(知識)이 오히려 걱정거리가 됨을 말한다.

나라의 국력은 곧 경제와 국방력에 있다. 경제가 강하고 군사력이 센 나라가 지구상에서 살아남는다. 옛날부터 주장한 부국강병정책(富國强兵政策)이다. 부국의 길을 섣불리 알고 소득주도론과 탈원전, 대기업 적폐몰이, 반(反)시장 개입, 노동개혁포기, 방만한 재정 씀씀이 등이 경제를 쪼그라뜨리고 있다.

강병의 길을 모르고 군사훈련 중단, 군 복무 기간 단축, 대전차 방어벽 철거, 휴전선 지뢰 제거, GP 철수 같은 무장해제 조치도 잇따르고 있다.

부국강병책이 절실한 때 마치 못살고 힘없는 나라를 만들려고 안달이라도 난 듯하다. '아는 것이 병[탈]'이란 옛말처럼 '정확하지 못하거나 분명하지 않은 지식은 오히려 걱정거리가 될 수 있음을 이르는 말'도 분간 못 하고 '아는 길도 물어서 가라.' '돌다리도 두들겨 보고 건너라.'는 평범한 명언도 모르는가?

이 정부는 다 같이 잘 사는 '포용 국가'를 만들겠다고 한다. 감동적인 비전이지만 힘과 실력이 없다면 공허한 말장난일 뿐이다.

지금은 평범한 속담마저 잘 모르는 사람이 자해극을 벌이고 있는 것 같으니 국가안보(國家安保)를 누구에게 맡겨야 하나. 이를 각성하여 너나 할 것 없이 온 국민이 책임을 져야 할 문제다.

(2019. 2)

잔디를 태우며

해마다 봄이 오면 나는 자그마한 정원의 잔디를 태운다. 죽은 잎을 태우면 병충해도 줄고 탄 재가 밑거름도 되는 일석이조를 기대한다.

햇볕이 쨍쨍한 날씨에 잔디가 바싹 말라야 잘 탄다. 바람이 없어야 불길이 주변에 번지지 않는다. 그래서 태우기 전에 날씨를 잘 선택하고 그날에는 주변 정원수에 물을 듬뿍 뿌려 화상을 입지 않도록 예방조치 해야 한다.

봄철 논두렁 밭두렁을 태우다가 산불로 번지는 일이 있어서 앞으로는 자제해야 한다는 뉴스도 들었다. 정원을 태우다가 집까지 태워버릴 수 있다고 생각해서 주의하며 금년에도 전례대로 태우기로 했다.

가장 건조한 봄날 태우기 좋은 날씨를 선정하려고 기다리다가 오늘이 가장 적당한 날씨라고 생각되어 가족들과 상의하고 시작했다.

사전에 화재방지 대책으로 지하수를 품어 주위 정원수에게 물을 담뿍 뿌렸다. 한 사람은 소방관같이 물 뿌릴 호수를 잡고 있고, 또 한 사람은 물을 담뿍 적신 커다란 비를 들고 대기하고 나는 잔디 가운데서 불을 질렀다.

불이 손바닥만 한 데서 시작하여 주위로 번져 활활 타들어 갔다. 불길이 점점 넓어져 가다가 더 세지니 갑자기 중심에 회오리바람이 빙글빙글 돌아 하늘로 솟아 오르는 걸 생각지 못한 현상이 갑자기 나타났다. 모두가 긴장했다. 여기에 한쪽으로 불어대는 바람이 생긴다면 곧 불을 끄려고 호수를 가진 사람, 물비를 잡은 사람 긴장해서 대기했다. 나의 지시만 기다리고 있는데 1분도 안 되어 회오리바람이 잦아들고 다른 바람도 없었다. 긴장을 풀고 잔디를 잘 태웠다.

잔디를 다 태우고 나니 지난 촛불을 태우던 시위가 생각난다. 우리 정원 잔디를 태우면서 혹여 집까지 태워버릴까 염려했었다. 지난 촛불이 태울 것을 태우고도 아직 꺼질 줄 모르니 무엇까지 더 태워야 꺼지려는지.

(2018. 3. 26.)

나의 꿈 미완(未完)일까

　‘미완의 꿈’이란 수필을 쓴 김규련 씨는 "모든 것을 다 버릴 수 있어도 이 꿈만은 버릴 수 없다. 이 꿈은 신앙이요 기도요 생명일지도 모른다."고 썼다. 그는 평생 최고의 수필 한 편 쓰는 것이 꿈이란 말을 했다.

　요사이 공권력에 도전하는 사이비종교의 탈을 쓴 미완의 인격자를 본다. 그는 우매한 백성에게 단 "한 번의 사죄로 구원을 받는다."는 사술(邪術)의 탈을 쓰고 수많은 생명까지 제물로 바치게 하면서 돈만 긁어모으다가 미완의 꿈을 안고 줄행랑치는 꼴을 볼 수 있었다.

　내게는 ‘미완의 꿈’이 수없이 많다마는 우선 미완과 기완(旣完)에 대하여 생각해 보려 한다.

　어릴 때의 꿈에서 찾아본다.

　배고픔 해결책이 꿈이었다. 어머니는 부엌 가마솥에 산나물과

밀기울을 넣어 끓인 죽 아홉 대접을 부뚜막에 퍼 놓고 한 대접씩 갖고 가서 먹으라고 했다. 시커먼 나물이 많은 것을 피하고 울렁울렁한 죽 한 그릇을 갖고 가서 배를 채워도 잠자리에 들기 전에 배고파서 언제 배부르게 먹을 수 있을까 이것이 제일의 꿈이었다.

그 꿈은 미완으로 나에게 그림자처럼 따라다니다가 20여 년 후에야 기완의 꿈으로 바뀌졌다.

또 하나는 배움이 꿈이었다. 아줌마 아저씨들이 야학당에서 일본말만 했다. 뒷전에서 듣다보니 뭐든지 배워야 산다는 충동이 솟구쳤다.

사랑방 서당을 찾기도 하고 한문을 잘 아는 조석제씨 찾아가서 단군의 역사 한 페이지도 익히 배우기 전에 해방을 만났다.

국민(초등)학교·원예중학교·고등공민학교에 들락거리는데 6·25는 터졌다. 배우는 둥 마는 둥 하는 사이 고등학교에 갈 나이가 넘었다. 초·중학도 못 마쳤는데 어찌 고등학교에 들어갈 수 있을까. 학생 배지가 그리웠던지 신설되는 상업고등학교에 들어갔다.

자취생활로 고등학교를 겨우 졸업하였는데 전쟁은 휴전이 되었다. 군에 입대할 나이에 대학 못가면 입대를 해야 했다. 대학의 꿈은 불가능했다. 사각모가 어찌나 부러웠던지…. 당분간 휴식을 하겠다고 강원도 산촌으로 찾아갔다. 무릉도원이란 곳에 피붙이로 6촌 형이 산다기에 거기를 찾은 것이다. 친절하고 다정하게 대해주는 형과 형수에게 당분간 머물기를 허락받고 몇 달 머무는 동안 겨우 고등학교 나온 놈이 고등공민학교 교사로 활동했다.

그 꿈도 몇 달이 못 되어 경찰에 붙잡혀 군에 입대했다. 대학가는 꿈을 미완으로 두고 군복무를 하면서 야간대학에 입학했다. 대학공부란 형식에 의한 것이다. 장교로 복무 중 5·16혁명이 일어났고 그 다음 해 졸업시험을 치러야 하는데 C학점을 겨우 받고 졸업했다. 졸업하는 날 졸업장을 받지 못했다. 수료증만 주지 않는가. 학점미달이 원인인가 했더니 아니었다. 대학 졸업장은 국가고시에 합격해야 준다했다. 역사에도 없는 대학졸업 국가고시를 치르게 되었다.

이는 박정희 대통령이 대학 졸업장을 무질서하게 발급한다는 것을 막고자 처음으로 국가고시를 치른다는 소식이다. 그래서 무사히 합격하여 진짜졸업장을 받았다.

비로소 대학졸업 꿈을 이루었다. 그러나 형식에 치우친 공부였는지 내면의 공부는 빈 탕이다. 이래서 '배움은 미완의 꿈'으로 길이 남게 될 것만 같아 아쉽다.

연애한번 해보는 것이 꿈이었다. 가난한 학생을 여학생들이 좋아해 줄 리 없다. 교복 입은 단발머리 소녀의 곁에만 가도 가슴이 두근거릴 때다. 말 한번 섞어보지 못했다. 고등학교 자취방 건너편에서 여학생들의 새벽 찬송 소리가 들려왔다. 가슴이 설렜다.

노랫소리 나는 데 따라가면 여학생들과 어울려 찬송을 부를 수 있지 않을까 싶어 교회 문턱에 들어섰다. 부흥회였던 모양이다. 밤새워 찬송을 따라 부르기도 하고 여학생들과 휩쓸려 철야기도에도 동참했다. 그때가 크리스천교로 입교한 동기가 되지 않았을까 생각한다.

연애 같은 연애 한 번 해보지 못하고 아들딸 손자 손녀를 둔 할아버지가 '연애가 미완의 꿈'으로 남다니….

땅을 가져 보는 것이 꿈이었다. 내 땅 한 뼘이라도 있었으면 좋겠다는 소유욕망이었다. 아버지와 형님들이 남의 땅을 경작하여 가을에 반타작하는 것이 못마땅했다. 내 소유 토지에서 생산되는 곡식으로 밥 지어 먹는 것이 꿈이었다. 해방 후 토지분배한다는데도 빈촌이라 분배받을 땅이 없었다.

육군소위 되어 한 달에 팔천 원의 봉급(쌀 한 가마정도)을 받으면서도 절약했다. 구두쇠 작전이 소유욕을 해결할 수 있을 거라고 생각했다.

그래서 땅에 대한 꿈이 컸기에 민통선 북방에 땅 만 평을 사기도 했다. 혁명을 하고서도 실업자로 살다가 겨우 공무원이 되어 온 가족이 저축에 나서 가난만은 미완의 꿈으로 남겨 두지 않으려는 내의지가 지금에야 이루어진 것 같다.

좌익 빨갱이 없는 세상이 꿈이었다. 해방 직후 빨치산 남로당 무리가 앞에 한두 사람만 장총을 메고 뒷사람은 몽둥이 들고 갈재 너머 산골동네를 휩쓸며 부르주아 출신이란 구실로 동장과 유지를 찾아내 총살시키는 장면을 보았다. 빨치산에게 식량을 빼앗기지 않으려고 겨울 한철 큰 동네로 소개를 당해보기도 했다.

많은 생명을 빼앗아간 4·3사건, 여순사건, 대구폭동사건 등을 거쳐 6·25전쟁 등이 좌익 빨갱이 공산당 소행이라는 것을 어릴 때 귀에 못이 박힐 정도 들어왔다.

정전 상태인 대한민국이 아직도 좌익 빨치산 뿌리가 독버섯처럼 남아 온갖 만행을 저지르고 있어서 좌익 빨치산 없는 세상만을 꿈꾸며 살아왔다. 그러나 현실은 '미완의 꿈'으로 남을 것만 같아 심히 안타깝다.

다음은 통일의 꿈이다.

미완의 꿈을 기완으로 바꿔지기도 했건만 통일에 대한 꿈은 미완의 꿈으로 계속 남게 되지 않을까 싶어 안타깝다.

"우리의 소원은 통일/ 꿈에도 소원은 통일/ 이 정성 다해서 통일/ 통일을 이루자/ 이 겨레 살리는 통일/ 이 나라 살리는 통일/ 통일이여 어서오라/ 통일이여 오라."

〈우리의 소원은 통일〉로 통일의 애절함을 호소한 노래다. 통일은 대박일 수 있다 한다. 통일의 장애는 거짓말의 괴뢰 북한 공산당체제다. 핵을 가지고 거짓말 (우리민족끼리·같은 민족· 조국통일·평화 협력 등)만 남발하는 저들과 종북좌파는 마치 마약에 취한 미친개들 같기에 미친개에게 몽둥이가 약이 되듯 우리는 정의와 진실의 몽둥이에 힘을 길러 대항해 나가야 할 것이다.

　오늘의 현실은 '통일은 미완의 꿈'으로 후손들에게 물려줄 것만 같아 후손들에게 심히 미안할 뿐이다.

(2014. 7.)

나는 늙은 책

나의 서재에는 산과 들의 나무와 풀같이 이런 책 저런 책, 오래 전 발행된 책, 최근 발행된 책, 신문잡지들이 뒤엉켜 있다. 모두 읽어봐서 내 텅 빈 머리에 양식이 되어 글을 쓰는 데 도움을 줄 거라고 생각한다. 그래서 오래된 늙은 책이든 근래 출간된 젊은 책이든 버릴 줄 모른다.

어느 날 위층 손자 방에서 버리려는 책이 한 상자 쏟아져 나왔다. 공부하던 책 한두 번 읽고서 버리는 책들이다. 대부분의 책들이 내 방의 책들보다 젊은 책들이다. 용도가 폐기되어 버린다고 했다.

어느 날 내가 가끔 가는 간이도서관에서 책을 정리한다고 하기에 잠시 들러보았다. 책장의 책들을 시장 할머니들의 채소를 떨이로 팔듯하고 있었다. 출간 연도에 따라 가격이 매겨졌다. 오래된 늙은 책 무조건 권당 1천원, 조금 더 낡은 책은 5백 원, 많이 낡은 것일수록 가격은 낮아진다.

골동품은 오래될수록 가치가 높아지는데 책값은 젊어야 제값을 받게 된다니 요사이 사람값이 책값 같은 취급을 받는 것 같다.

사람들도 늙으면 책값 같다. 정년이 지나면 직장에서 쫓겨나고 값이 뚝 떨어지는 것이다. 값비싼 골동품값 되는 사람들도 간혹 있으나 대부분 늙은 책값 취급을 당한다.

지난 젊은 시절이 그립다. 그때는 신간 값을 지니고 있었으나 점차 값이 떨어지더니 이제는 제일 헐값인 늙은 책값이다. 그래서 나와 함께 늙어지는 책이 될만정 오늘 늙은이의 발자취를 써서 남겨 두고 싶다.

어릴 때 시렁 위에 낡은 책 몇 권이 얹혀 있었다. 아버님은 아침 일찍 일어나서 한 권의 책을 내려 먼지를 탈탈 털고 나를 가르치셨다. 그 책은 〈천자문〉이었다.

그때 공부하는 기본자세를 가르쳐주었다. "책을 부모같이 대해야한다. 책속에는 살아가는 길이 있다." "冊賤 父踐 = 책을 부모같이 여겨라, 그래서 천하게 여기지 말라."고 말씀했다.

비록 천자문을 다 배우지 못하고 아버님이 세상 길 떠나 가셨지만 오늘까지 아버지의 가르침은 머리에 남아있다.

그런 연고로 한 권의 책도 소중히 여겨왔다. 어머님 따라 산나물 짊어지고 30리길 5일장에 가서 나물 팔아 처음 사본 책이 ≪카네기 처세술≫이었다. 몇 페이지 안 되는 마분지에 인쇄된 소형

책자이다. 몇 번 반복해 읽었더니 낡아 찢어질 정도였다.

산골에서 태어난 어린아이였지만 출세가 좋다는 것을 알고 그런 책을 생의 첫 번째로 선택해 샀을까. 그때의 마음을 헤아려 본다. 그 책의 예문 한 구절이 오래 남아 있다.

노인이 손자를 데리고 산을 오르다가 옆으로 뻗은 나뭇가지에 손자를 두 손으로 꽉 잡고 매달리게 했다. 손을 놓으면 떨어진다. 손자가 매달려 있다가 힘이 파해 소리쳤다. 그러나 할아버지는 떨어질 무렵까지 매달려 있게 했다. 더 이상 매달릴 수 없다 할 때 손자를 내려주었다. 손자가 물었다. "왜 이렇게 하셨습니까?" 할아버지는 그때 "제물 관리도 세상살이도 그와 같다."라고 가르쳐 주었다는 말씀이다.

그때의 낡은 책에서 습득한 낡은 교훈을 버리지 못하고 살아온 인생이다. 절약과 근면을 신조로 월급 8천원 받을 때도 몇 푼이라도 저축하고 살았다. 구두쇠 정신으로 살아왔기에 오늘 내가 떳떳하게 살게 되었다고 생각된다.

아버지가 알려주신 '내게 길잡이로 절약과 근면, 성실과 인내, 책 속의 지혜'를 힘입어 오늘의 나를 있게 했다. 나는 남은 세월 낡은 책처럼 취급을 받더라도 초연한 자세로 남에게 짐이 되지 않게 빚지지 않고 배려하며 '낡은 책'으로 살아가리라.

(2016.)

지나간 일

싸리나무 회초리로 맞은 덕에 과거 급제하여 귀향길에 싸리나무에 절을 했다는 글을 읽었다. 나는 그런 회초리 대신 몽둥이를 맞고서 새 사람이 되어 오늘 내가 있는 것임을 새삼스럽게 깨닫게 되었다.

군에 입대했을 때 훈련소에서 몽둥이 세례를 호되게 받았다. 까무러칠 정도로 엉덩이가 부어올랐다. 무슨 이유로 몽둥이를 맞았는지 알지도 못했다. 훈련을 끝내고 내무반에서 동료에게 내가 왜 맞았는지 물었다.

'귀 잡고 뺑뺑이 돌리는 단체기합'에서 내가 잘못했다는 것이다. 그러면 이유를 알려주고 몽둥이세례를 줄 것이지 거듭 몽둥이 찜질만 하다니 억울했다.

억울한 고통을 참고 훈련이 끝나서 일선 배치됐다. 처음 간 곳이 공병 보급부대 물자통제반 서기직이었다. 아침 8시부터 오후

5시까지는 행정업무 취급이니 편했다. 오후 5시부터 아침 8시까지가 내무생활 15시간이 고통의 시간이다. 지옥인들 이것보다 더할까 싶었다.

일과 끝나면 재빨리 뛰어가서 내무반을 데울 장작을 훔쳐다가 불을 때야 한다. 땔감을 훔치다니 들키면 몽둥이세례다. 밤에 추우면 아침에도 기합이다.

그것뿐 아니다. 잠자리 들기 전에 선임자의 속옷, 양말을 빨아 말려서 각자 간물함 앞에 갖다 놓아야 했다. 임자를 잘못 찾아주면 주먹질 욕먹기 일쑤다. 기합이 빠졌다고 저녁이면 몽둥이로 궁둥이찜질 받고서야 잠자리에 들었다. 술 취한 박ㅇㅇ 하사는 잠들 때까지 팔다리 안마를 시켰다. 자는가 싶어 그만하면 당장 욕설이 나왔다. 이런 내무생활은 지옥이었다.

일주일은 버티고 나니 점점 무서워졌다. 상급자 속옷 빨아주기, 안마해주기, 내무반 데우기, 하루 한차례 몽둥이찜질, 이런 일은 죽기보다 더 힘들었다. 살자니 고통이요 죽자니 개죽음, 부모에게 불효라니 이러지도 저러지도 못하고 하루하루 살기가 '일각이여삼추' 같았다.

마침 그 무렵에 전쟁 후 처음으로 간부후보생 장교모집이 있다는 소문이 들려왔다. 내게는 복음 같은 소식이었다. 즉각 지원했다. 한 달 후로 시험 일자가 나왔다. 2일간 먹을 쌀과 부식을 타서

외출허가 받았다. 이틀간 시험 치고 1개월 뒤에 발표가 난다고 했다.

필기에는 합격인데 신체검사 불합격판정이란 비공식 정보를 들었다. 그래서 불합격시킨 군의관을 찾아가 왜 건강한 군인인데 불합격시켰느냐고 물었다. 그때 군의관은 '평발'이라서 장교가 될 수 없다고 했다. 울면서 합격해 주지 않으면 제대시켜 달라고 들이대었더니 억지가 통해 합격시켜 주었다. 지금은 억지가 통하지 않겠지만….

전반기 여름 광주 보병학교에서 훈련 도중 일사병으로 쓰러져 퇴교 직전 동료의 도움으로 살았다. 후반기는 김해 공병학교 교육을 받았다. 그해 얼음 깨고 물속에 들어가는 훈련은 정말 인내력이 부족하면 참기 힘든 지옥 훈련이었다.

다음해 1월 19일에 소위로 임관했다. 부모보다 몽둥이찜질한 전임부대를 찾아가고 싶었다. 아마 복수심이 나를 충동시켜 제일 먼저 찾게 한 것 아닌가 싶다. 사복 차림으로 근무했던 부대를 찾아갔다. 일과 시간 끝날 무렵 정문에 도착해서 박ㅇㅇ 하사를 면회 신청했다.

마음이 야릇했다. 만나면 무슨 말을 먼저 해야 할까, 몽둥이 맞은 분풀이를 할까, 오히려 고맙다고나 할까? 망설이고 기다리는데 박 하사가 뛰어오면서 사복 입은 나를 향해 "채 소위님!" 소리

지르며 깍듯이 경례를 붙이지 않는가. 지난날 호랑이 같던 박 하사가 순한 양이 되어 먼저 인사하는데 나는 말문이 막혔다. 그리고는 내 손을 잡고 영내 주보로 안내했다.

지난날 욕쟁이 폭군 박 하사가 존댓말로 지난날 잘못을 낱낱이 내게 아뢴다. 주정을 피웠고, 밤새도록 다리를 주무르게 한 짓, 표현할 수 없는 폭언 몽둥이찜질 등을 서슴없이 말하고 잘못을 빌었다. 잘못을 비는 말을 듣고 나니 오히려 내가 쑥스러워졌다. 그때야 내 마음이 변하여 감사하고 싶은 마음이었다.

"박 하사님! 덕분에 장교로 임관되었소. 정말 내가 감사합니다. 당신이 내게 한 일들이 복수심을 갖게 해주어 용기로 변해 내가 장교가 되었소. 그래서 감사하러 왔습니다."라고 했다.

대접받고 돌아서는 내가 부끄러웠다. 나는 그들의 '몽둥이가 내게 약이 된 것을 잊지 말고 살아야겠다고 다짐하고 돌아섰다.

요사이는 군내서 몽둥이는커녕 기합도 없다는데 그때 그리했더라면 나는 장교가 될 수 없었을 것이다.

지금도 기합 주던 박 하사, 훈련소 조교가 살아 있다면 싸리나무에 절한 선비같이 나도 "당신들의 몽둥이가 내게 약이 되어 오늘 내가 있습니다."라고 정중히 절하고 싶다.

(2018. 6.)

글쓰기가 부끄럽다

나는 원래 글재주가 없다. 글을 쓸 수 있는 재목이 못 된다. 차분히 기초공부부터 해야 하는데 서당 글 몇 달, 간이학교 몇 달, 소학교 몇 달, 원예중학 몇 날, 고등공민학교 몇 달, 고등학교 두 해 반, 대학에 오락가락 그런 공부로 내가 글 쓴다고 흉내 내는 것은 글 잘 쓰는 이에게 욕을 돌리게 될까 부끄럽다.

그러나 인생 후반기에 들어서자 어릴 때 아버지에게 어렴풋이 들은 말이 생각났다. "호랑이는 죽어 가죽을 남기고 사람은 죽어 이름을 남긴다."는 말씀이다. 나는 보잘 것 없는 범인으로 살아왔기에 명예와 업적을 남길 것이 없다. 다만 내가 험한 세상을 열심히 살기 위해 3대 의무를 완수하며 평범하게 충실하게 살아왔다는 것은 후손에게 전해줄까 하여 글을 써보기로 했다.

그래서 첫 번째로 지도선생님의 도움으로 고희를 맞이하며 ≪풋사과≫란 시문집을 냈다. 풋사과 같은 미숙한 나의 인생사 신변잡기를 누가 읽어줄까 싶어 부끄러워하면서 친지 동료에게만 나

뉘주고 말았다. 그런데 최초 해군 참모총장 손원일 제독의 부인 홍은혜(당시 84세) 여사께서 보낸 격려의 친필을 받아보고 내심 흐뭇하며 용기를 내게 되었다.

두 번째로 ≪내 삶의 메아리≫란 글을 역시 지도 선생님의 도움으로 희수를 맞아 용기를 또 내서 시문집을 냈다.

희수까지 인도하신 하나님께 감사드리며 '못생긴 나무가 선산을 지킨다'는 말과 같이 못났지만, 열심히 살아온 평범한 내 삶의 산울림이었다. 특히 과거 8·15, 6·25, 3·15, 4·19, 5·16, 12·6, 12·12, 희비애오(喜悲愛惡)의 역사적 7단계를 걸어온 기억들을 최대한 쓰려 했다. 특히 후손에게 '가난, 무지, 붉은 이념'만은 물려주지 말자는 신념을 전하고 싶어서 글을 썼다.

시작할 때는 세 권을 써봐야겠다고 생각했으나 지금은 망설여진다. 傘壽를 그냥 보내고 나니 米壽까지 멀리 느끼게 된다. 古稀와 喜壽에 쓴 글같이 써볼까 하여도 꼭 써놓아야겠다는 명분을 찾지 못하고 있는 편이다.

두 번의 책은 내용보다 명분을 찾아 펴냈건만 米壽란 명분은 바라보니 너무나 멀리 보이고 그 중간에 한 권을 더 내어볼까 해도 읽어줄 사람이 없을 것만 같아 망설이게 된다. 준비가 되면 다시한 번 용기를 내어볼까 한다.

(2016. 9.)

3 부

신토불이와
삼대

과거를 떠나 현재에서 자유롭게 살고 싶다

나는 과거를 떠나 현재를 행복하게 살고 싶어도 아내가 과거에
붙잡혀 현재로 돌아오지 못하니 '부부일심'으로 나도 과거에 붙잡
힐 수밖에 없어 아름다운 현재를 누리지 못해 몹시 안타깝다.

'과거, 현재, 미래'로 이어져 살아가는 것이 우리의 일생(一生)
이 아닌가. 나는 과거에서 해방되어 현재를 자유롭게 행복하게 살
다가 좋은 미래를 후손에게 남겨주고 싶은 늙은 사내다.

오늘 아내를 차에 태우고 병원을 다녀왔다. 10여 년간 수없이
큰 병원 정신건강과에 들락거려 처방약을 먹어왔으나 오늘도 '과
거 환상'에 붙잡혀 오늘이란 현재를 잊어버리고 돌아오지 못한다.
아침까지 약기운으로 눈뜨기 힘들어하면서 아침밥을 겨우 먹는
것을 볼 때 나도 몹시 괴로웠다.

'인생은 나그네'라지만 '우리 부부는 하나님이 짝지어준' 인연으
로 60여 년 함께 살아왔다. 우리는 금수저 환경은 생각도 못하고

자랐고, 둘다 편모슬하 가난한 가정에 자랐으니 가난이란 동질성을 안고 만났다.

우리의 시작은 문간방에 세들어 살았어도 그런대로 현재를 즐기면서 행복하게 살았다. 해가 지나면서 첫아이가 태어나서 아장아장 걸어가는 모습을 보며, 손뼉을 치면서 웃음을 멈추지 못했고, 둘 셋을 낳고서 가난의 절벽을 만나도 앞만 보고 최선을 다해 살았고 잠자리에 들 때는 그래도 행복하게 눈을 감을 수 있었다.

아들 딸들이 자라 명문교 좋은 성적으로 졸업할 당시가 정말로 행복했었다. 어렵사리 장가시집 보낼 때마다 흐뭇하고 행복했다. 10여 곳으로 이사할 때마다 하나님께 감사했다.

우리 부부는 넉넉한 생활은 아니었으나 불행보다 다행을 품고 살아왔는데 왜 나이 들면서 불행으로 바뀌졌는지 정말 안타깝다. 살아오는 많은 세월 동안 어찌 행복한 순간들로만 채워질 수 있겠는가?

우리의 만남은 하나님의 인도하심이라 믿었다. 그래서 '분을 내어도 죄를 짓지 말며 해가 지도록 분을 품지 말고 마귀에게 틈을 주지 말라'(엡4:26, 27)는 그 말씀 품고 살아오는 동안 우리들의 행복 속에 질투하는 마귀가 파고들고 있었던 것 같다.

또 분을 일시적으로 품는 것은 죄가 아니지만 해가 지도록(아마도 하루 이상) 분을 품고 분을 되새김질하는 것은 죄가 될 수 있다고 하신 말씀이다. 분을 낼 때마다 마귀는 틈을 얻을 수 있다고 하니, 더 경계하고 하나님께 감사하며 평화와 온유함을 지켜야 할 것이었다. 마귀가 틈탈 기회마다 기도를 통해서 분을 이기도록 하나님께 간구했어야 할 것인데 소홀히 여긴 것 같다. 그래서 불행인 분노를 내고 그 찌꺼기를 버리지 못한 것이 불행을 자초하는 것 아닌가 싶다.

아내는 함께 살아오면서 행복 중에 불행, 성취 중에 고생, 관용 중에 오해, 용서 중에 반목, 배려 중에 시기 원망 등 좋지 못한 일 부족 불만 했던 일을 싹 지워버리지 못하고 뇌 한구석에 그런 일들을 계속 저장하고 있었던 것 같다. 좋은 것으로 채워져 있어야 할 뇌 구석이 비워 있지 않았다면 마귀가 들어가지 못했을 것 아닌가.

그런 감정이 과거를 가득 채워 현재로 들어오지 못하게 하고 있다. 이런 것이 아내가 겪어야하는 질병이다. 그렇다보니 현재와 미래를 생각할 겨를이 없다. 이런 질병의 파장이 아내와 나만 겪고 말아야 할 텐데 가족, 친척 친지, 사회까지 미치게 되니 커다란 문제다.

내 인생 말로에는 즐거움을 자유롭게 누리다가 떠나려던 꿈이 과거와 함께 사라지는가 싶으니 옛 말같이 '인생일장춘몽'이구나 싶다가도 행여나 긍휼하신 하나님께 불쌍히 여기시어 조금이라도 돌려주기를 바란다.

지금 아내와 나는 과거에서 벗어나 현재를 즐기다가 미래로 가야할 평범한 인생으로 돌아가고 싶어도 그렇지 못하게 살고 있어서 괴로울 뿐이다.

이런 잘못된 아내 뇌구조 속 숨어든 마귀의 피해는 우리부부만 겪어야할 문제지만 이 나라 이 사회에도 그런 뇌구조를 가진 사람이 너무나 많은 것 같으니 심히 안타깝게 생각된다. 지금 내가 무능하오니 전능자에게 악이 가득 찬 뇌구조를 고쳐달라고 호소할 뿐이다.

(2021. 2.)

고부간 배려가 가족 간 배려로

팔십이 넘은 아내가 거실에서 넘어져 왼팔과 왼쪽 갈비 4대가 부러졌다. 오래전 척추가 부러져 겨우 치료하고 견디는데 설상가상으로 또 다친 것이다.

병원에서 깁스하고 집에 왔으나 온몸을 가누지 못한다. 대소변을 받아 내야 하고, 하룻밤에도 몇 번씩, 낮에는 십여 번씩, 기저귀를 갈아줘야 한다.

집에서 첫 밤을 내가 간병했더니 몹시 힘들었다. 다음 날 저녁도 간병하려는데 느닷없이 며느리가 와서 "아버님 편히 쉬세요. 오늘부터 제가 할 게요." 하지 않은가.

그리고는 간단한 침구를 들고 와서 시어머니 침대 아래 눕는다.

시집간 두 딸이 있어도 하룻밤이라도 와서 제 어머니를 간병하겠다는 말을 듣지 못했는데 며느리의 마음을 크게 감동하게 만들었다.

오늘도 시어머니를 간병하느라 침대 아래에서 자는 모습이 애잔하지만 나는 너무나도 고마운 마음에 눈시울을 붉힌다. 한 달이 넘도록 한결같은 며느리 간병에 감동한 시어미가 며느리를 불러 놓고 에미에게 이렇게 말했다.

"며늘아! 너도 한 달 지나면 시어머니 되잖나. 이제껏 한 지붕 아래서 30년이나 많은 고생하지 않았니? 이제 준비된 너희들의 아파트로 따로 살면 어떻겠니? 너도 아파트에 한번 살아보아야 되지 않겠니."라고 하였다.

며느리는 애비와 상의해서 말씀드리겠다고 했다. 그리고는 다음 날 시어머니에게 "아파트에 가더라도 같은 아파트 상하층이나 같은 층에서 집을 장만해서 어머님 건강을 돌보며 살겠다."라고 대답하였다. 나는 그런 사실을 뒤늦게 알고 가슴이 덜컥 내려앉았다. 내가 염려하던 그때가 왔구나 싶어 버럭 화가 났다.

옛 영화 〈내일을 위한 길〉 영화의 주인공 '바크와 루시'가 노년에 딸 아들 집으로 각각 생이별하였다가 결국 딸 아들 집을 떠나 아버지는 따뜻한 남쪽으로, 어머니는 양로원으로 가게 되어 몇 시간 신혼여행 추억을 즐기고서 남행열차에 올라탄 남편을 향해 손 흔드는 아내의 마지막 장면이 떠올라서 울화부터 터져 나왔다.

영화 내용 같은 세상 풍조를 대비해 두 딸은 출가외인이 될 것이고 '한 아들 한 며느리뿐'이라 평생을 같이하다가 세상을 떠나면 그냥 남는 유산은 대를 이을 저들 몫이 될 텐데 '병든 부모라고' 버리는가 싶어서였다. 그런 사실에 매여 며칠간 화를 삼키다가 아들딸 셋을 한자리에 모았다.

"너희들 부모가 병들었다고 버리겠다는 건가?"라면서 소리 버럭 질렀다.

아들은 침묵하고 두 딸이 해명한다. "오빠 올케가 전적으로 어머니를 간병하는데 저희만은 자주 할 수 없어 항상 죄책감을 느꼈어요. 어머니의 제안에 감동해 같은 단지에 3형제 아파트가 있으니 현 주택을 팔고 떠나 같은 단지 아파트로 이사 오시면 우리 두 딸도 함께 부모에게 효도하면 될 것 아니냐?"라고 대답했다.

딸들의 대답을 듣고 나니 저들끼리 합의된 생각인 것 같았다. 화를 멈추고 자식들에게 약속을 받아내야겠다고 생각했다.

"너희들의 의견이 일치한다면 우리가 아파트로 따로 이사 가겠다. 이사해도 하루만도 우리 둘만 기거할 수 없다. 너희들 교대를 하든 무슨 방법이든 너의 아빠 엄마만 살도록 하지 않겠다는 약속을 해라. 그러면 너희들 말 한 대로 따르겠다."라고 했다. 아들딸들은 한 목소리로 그리하겠다고 약속했다.

나는 노년의 고독이 무섭다. 그래서 결혼 시작 때부터 장자는 평생을 같이 산다는 집념으로 살아왔는데 60년 만에 멈추게 되었다. 아들뿐만 아니라 딸도 부모에게 효도하겠다는 배려하는 마음이 있었다는 것을 뒤늦게 알고 그들에게 미안한 마음으로 '출가외인'이란 개념도 바꿀 생각이다.

오늘도 한결같은 마음으로 두 달이 지나도록 시어미 간병에 애쓰는 며느리의 모습을 저녁마다 보면서 '고부간 배려가 가족 간 배려'로 좋아졌구나 싶어 더욱 고맙게 생각된다.

과연 우리가 늙어서 아파트로 이사하여 잘 적응해 살아갈지 염려하면서도 아들과 두 딸이 번갈아 같이하겠다는 자식들의 배려를 생각하니 노엽던 내가 부끄러우면서 행복감이 돋아난다.

(2019. 5.)

며느리 자랑

팔십이 넘은 아내가 거실에서 넘어져 왼팔과 왼쪽 갈비 4대가 부러졌다. 오래전 척추가 부러져 겨우 치료하고 견디는데 설상가상으로 또 다친 것이다.

병원에서 깁스하고 집에 왔으나 온몸을 가누지 못한다. 대소변을 받아 내야 하고, 하룻밤에도 몇 번씩, 낮에는 십여 번씩, 기저귀를 갈아줘야 한다.

집에서 첫 밤을 내가 간병했더니 몹시 힘들었다. 다음날 저녁도 간병하려는데 느닷없이 며느리가 와서 "아버님, 편히 쉬세요. 오늘부터 제가 할게요."라고 하지 않은가. 그리고는 간단한 침구를 들고 와서 시어머니 침대 아래 눕는 것이다.

시집간 두 딸 하룻밤이라도 와서 제 어머니를 간병하겠다는 말을 듣지 못했는데 며느리의 마음에 나는 크게 감동하게 만들었다.

오늘도 시어머니를 간병하느라 침대 아래서 자는 모습이 애잔하여 나는 너무나도 고마운 마음에 눈시울을 붉혔다. 며느리 효심 대신 시아버지가 상을 받다니 며느리에게 더 잘해주라는 상 같다.

(2019.)

※ 이 글은 앞의 글을 요약하여 내가 다니는 복지관에 출품하여 가정의 달에 대상을 받았다.

장손이 장가간다네

믿음직한 장손이 장가간다니 그 방을 다시 들여다보게 된다. 태어날 땐 일주일간 눈을 뜨지 않아 할아비를 걱정시키던 놈이 어느새 장가 간다니 감개무량하다.

너털웃음에 유쾌한 재롱둥이가 할아버지 곁을 떠나간다니 마음한 자락이 텅 빈다. 그러나 시집 장가를 미루는 세대에 대를 이어줄 훗날을 생각하니 반갑고도 고맙다.

손자가 없는 방에 들르니 옛날 내 모습이 떠오른다. 나는 약혼과 결혼이라는 두 번의 절차를 거쳤는데 저들은 단번에 결혼한다니 현명할뿐더러 결혼 첫날밤을 호텔에서 묵는 것이 상례인데 새살림 차릴 집에서 집들이를 겸한 첫날밤을 보내겠다니 기특한 생각에 또 한 번 놀랐다.

손자가 어릴 때 매미 우는 소리는 어떻게 들리는가 물었더니 "열심히! 열심히!"로 들린다 했다. 결혼 생활을 '열심히 열심히'

잘 살아가리라 믿는다.

　손자는 열심이란 매사진선(每事盡善) 가훈을 지니고 태어난 것 같다.

　손자 손부의 나이도 같고 이름자에도 같은 '현'자가 들어있으니 둘이 '천생 연분'으로 알콩달콩 재미있게 살기를 바란다.

　웃음으로 집안을 꽉 채우던 장손이 장가간다니 축복을 하면서도 한편 섭섭한 마음은 왜 생기는 것일까.

(2019.)

신토불이와 삼대

핵가족시대에 한 지붕 아래 삼대(三代) 같이 산다는 것, 타인의
눈에는 기현상으로 보이지만 우리가족은 축복으로 생각한다.

어느 핸가 오월 가정의 달을 맞아 '신토불이(身土不二)'를 주장
하는 농산물센터에 갔는데 '삼부자가 함께 오면 특별선물을 준다.'
는 포스터가 붙어 있었다. 그래서 우리 삼부자가 함께 갔더니 삼
부자임을 확인하고 상품을 주었다. 할아버지 할멈용으로 효자손,
아빠 엄마용으로는 목욕용품, 손자용으로 우산이었다.

우리 농산물을 선전하기 위해 '신토불이'를 강조하면서 '삼부자'
를 우대하는 건 삼대가 같이 사는 전통이 너무 빨리 무너지니 이를
안타까워 '신토불이와 삼대를 연결한 행사'를 한 것으로 생각된다.

'신토불이(身土不二)'란 몸과 땅은 둘이 아니고 하나라는 뜻으
로, 자기가 사는 땅에서 산출한 농산물(農産物)이라야 체질(體質)
에 잘 맞음을 이르는 말이다. 그래서 3대가 한 지붕 아래 산다는

것이 우리나라 전통도 신토불이와 같다고 했던 것이다.

먹거리 외래종이 넘쳐나니 우리나라 생산품이 뒤로 밀려나고 있다. 먹거리만 세계화로 바꿔지는 것 아니라 사람도 바뀌고 있다. 외국인 며느리나 외국인 사위가 얼마나 많은가. 그런데도 '우리민족끼리, 민족은 하나다.'라고 부르짖는 것은 잘못된 것 같다.

오월 가정의 달을 맞아 기념일도 많다. 어린이날, 어버이날, 스승의 날, 성년의 날이 줄줄이 있다.

어린이날이 있건만 어린이를 어린이답게 대접했는가. 어른들 욕망의 도구로 자라게 하고 있지 않은가. 어린이의 뜻은 상관하지 않고 교육이란 미명으로 과외공부를 무겁게 시키고, 유학이란 이름으로 기러기 가족이란 기현상까지 있지 않은가. 어버이날을 맞아 어버이를 어버이로 대접하는가. 어버이는 어버이답게 살아가고 있는가. 뒷방 구석으로 가라 하니 몰골들이 더 참담해져 가는 것만 같다.

스승의 날을 맞아 스승이 스승으로 대접받고 있는가. 스승이 스스로 노동자가 되겠다는 세상에 스승의 대접을 받을 수 있을까. 스승이 반목과 질투로 싸움을 자행하는 노동자로 전락되어 불순한 이념과 투쟁을 가르친다면 어찌 스승이라 일컬을 수 있을까. 교육현장이 이념투쟁 현장으로 변질된다면, '스승의 그림자도 밟지 말라'던 전통의 존경심은 어디에서 찾아볼 수 있을까.

성년의 날을 맞아 성년이 될 청소년에게 기성세대가 어떤 본을 보여줄 수 있을 건가. 정치인의 부정과 거짓말, 지성인의 불의에 대한 침묵, 사회의 이익집단의 난동, 전국은 퇴폐 한탕, 원칙은 물 건너가고 힘이 원칙 되고, 정의는 불의에 굴복하고, 질서는 파괴되어 가고 있는 현실인데 청소년에게 무엇을 보여주고 본을 보라 말할 수 있겠는가.

가정의 달이건만 가정은 파괴되어 간다는 소식뿐이고 청소년의 달이건만 청소년은 잘못된 길로 치닫고 있다는 뉴스뿐이다.

넉넉지 않은 우리 가정은 오늘까지 같이 살다 보니 삼대가 한 지붕 아래 살게 되었다. 옷가지와 신발들을 대를 이어 번갈아 입을 수도 있고, 신을 수 있어 좋다. 목욕탕에 가서 아들이 아비의 등을 밀어주고, 손자가 할아버지 등을 밀어주고, 번갈아 때를 밀어주는 그 기쁨은 경험해 보지 않고는 느낄 수 있을까.

몇 해 전에 아들과 할아버지가 번갈아 운전하면서 삼대 한 가족이 동해안 여행을 했을 때가 지금 생각하니 큰 행복이었다. 이제는 그런 날들이 점점 멀어지는 것 같아 아쉽기 그지없다.

다가오는 가정의 달에는 일생에 마지막으로 삼대 한 가족이 '신토불이' 농산물을 사기도 먹기도 하면서 한 번도 못해 본 우리 땅 일주 여행을 소망해본다.

(2019. 5.)

결혼반지의 힘

지금까지 살아오면서 한 번도 금은보석에 대하여 마음을 빼앗긴 적이 없다. 결혼 때 아내에게 기념품으로 해준 금반지가 처음이었다. 금같이 변치 말자고 약속된 선물이건만 그 반지를 오래 간직하지도 못하고 몇 해 뒤에 팔아 내 학비로 써버렸다. 그리고는 삶에 지쳐서 오늘까지 무관심하게 지내온 못난 남편이어서 부끄럽다.

결혼 58주년이 다가오면서 그동안 내가 무관심했음이 후회스러워서 아내 몰래 서울 시내 귀금속상을 돌아다녀 보았다. 허름한 늙은이가 보석을 묻고 다니니 한 점원이 이상하였는지 내게 물었다.

"할아버지 누구에게 선물하려고 보석상을 두리번거리세요?"

왠지 답변하는데 그냥 눈시울이 붉어져 말이 안 나왔다. "아내에게 준 결혼반지를 팔아먹고 무심하게도 58주년이 되어서 돌아보고 있습니다."라고 대답하고 구경만 하다가 되돌아왔다.

아내 손가락 크기를 모르니 내 마음대로 선택할 수도 없고 금반지가 좋을지 다이아반지가 좋을 지도 모르니 단독으로 결정할 수가 없었다. 부득이 다음날 아내에게 내 뜻을 알렸더니 뜻밖이란 듯 아내는 놀라는 눈빛으로 나를 쳐다보기만 했다.

"금반지를 내가 팔아먹고 오늘까지 무관심하게 지내와서 미안하오. 올해 결혼 58주년 그날을 기념하여 좋은 반지를 사주겠소." 라고 말하는데 내 눈시울이 뜨거워 말끝을 흐렸다. 아내 역시 감격하여 즉시 말문을 열지 못했다.

다음날 아내가 자기 마음에 드는 반지를 선택하겠다고 대답했다. 나는 사전에 백화점과 종로통 금은방을 종일 다니면서 돌아본 귀금속 반지 정보를 알려주었다. 그랬더니 아내는 또 하룻밤을 지나고 결정하자고 했다.

다음날 정오를 지나서 아내가 자신이 아는 점포로 가자고 하여 따라갔다. 이미 사주려는 생각이었지만 금일까, 다이아몬드일까? 얼마짜리일까? 궁금하고 불안했지만 통 크게 마음먹고 해달라는 대로 이번만은 해주리라고 결심하니 마음이 평안해졌다.

아내는 아들딸 출가할 때 패물을 장만한 상점을 기억하고 있었다. 27년간이나 잊어버리지 않고 더듬어 그 점포를 찾았다. 그때 그 사장은 그대로 귀금속상을 하고 있었다.

우리는 크고 작은 다이아몬드 견본을 보았다. 내 생각에는 한두 캐럿 다이아몬드를 선택할 줄 알았는데 6부 다이아몬드를 선택하지 않은가. 내심 놀라기도 했고 마음 놓이기도 했다. 내가 더 큰 것을 선택하라고 했지만 아내는 "큰것은 끼고 다니기에 불편하고 도둑놈이 해칠 수 있으니 6부면 족하다."라고 했다.

몇 천만 원짜리 다이아보다 몇 백만 원짜리 다이아에는 도둑의 관심이 적을 거라고 생각한 것이다. 평생 가정을 위해 몇 천만 원짜리 다이아 반지 같은 건 욕심내지 않고 살아왔고 또 그런 실용적인 눈높이로 살아준 아내가 몹시 고마웠다.

금같이 변치 말자는 상징적 반지가 사라져도 그 힘은 살아서 58년간 변함없이 살아온 것 같다. 이제부터 남은 세월 다이아몬드같이 굳건하게 변치 말자고 다짐한다. 우리들의 남은 삶이 더욱 행복해지기를 바라며….

(2018. 5. 27)

나의 손자 홍찬의

'SAT 만점 美 하버드대 유학생, 한국 돌아와 해병대 입대' SBS 뉴스 미국 명문 하버드대를 다니던 한국 청년이 귀신 잡는 해병대로 거듭났습니다. '연평도 활약 보고 해병대에 결심했다.'는 홍찬의의 해병에 입대한 뉴스가 각종 매스컴을 장식하여 놀라지 않을 수 없었다.

홍찬의는 "첫 번째 꿈은 하버드대 입학이었고, 두 번째 도전을 해병대였다. 내게 해병대의 가치는 하버드보다 크다. 연평도 포격전의 영웅처럼 국가를 지키기 위한 임무에 최선을 다하는 해병이 되겠다."라고 했다. 조국을 지키겠다는 그의 정신이 이 나라의 정신이었으면 얼마나 좋으랴.

손자는 하버드대 졸업 후 컴퓨터공학 기술을 활용해 산업체 대체 복무를 할 수도 있었지만, 굳이 해병대를 선택했다.

건국 이래 '안보최대 위기'를 맞은 오늘날 젊은이들 모두 그런 정신으로 이 나라를 지킨다면 국방은 염려하지 않아도 될 것이다. '이스라엘 국민정신'이 그렇다 한다. 이스라엘에서 전쟁 났을 때 미국서 공부하던 이스라엘 학생은 스스로 공부를 접고 귀국하게 되고 다른 나라 학생들은 그렇지 않았다는 말을 들었다.

우리 헌법상 국민의 3대 의무가 있다. '국방, 납세, 교육'이다. 이런 국방의무를 하지 않으려는 자의 문제가 정치문제까지 비화된 일이 있다.

'거짓말 병력비리'로 대통령 출마자를 낙마시키기도, '병력회피 비화'로 곤욕을 치르기도, 대통령 후보자 공약인 '고위공직 임용 기준'에까지 병력 문제가 대두되고 있다.

그런 중에서도 솔선하여 해병대에 입대한 홍찬의는 기특한 나의 외손자다. 막내딸이 미국에서 살면서 그를 잉태하여 산월이 되어오자 불안해서 아비에게 물어왔다. 아이를 "미국에서 낳을까요? 귀국해서 낳을까요?"라고. 원정출산이 유행될 시기라 나는 망설이다가 네 의견을 우선해라. 그러나 내 대답은 듣고 싶다면 '당연히 귀국해서 낳는 것'라고 한마디로 끝냈다. 그 후 딸은 귀국해서 낳은 아들이 오늘날 홍찬의다. 제 어미 아비는 초등학교 5학년 때 유학을 보냈더니 하루는 하버드대 입학했다는 전갈을 받았다. 대견해서 칭찬을 해주었다.

지난 6월 16일에는 하버드학생 12명이 세계 160여국 순방 노래

공연하는 도중 우리 정원에서 노래하는 것을 보고 크게 놀랐고 기뻐했다. 이번에는 뜻밖에 해병대에 입대해 조국을 지키겠다는데 나를 더 놀라게 했다. 그런 손자가 12월 3일 뉴스에 올랐고 늠름한 사진을 보게 되었다.

인터뷰에서 "하버드대보다 해병대 입대가 더 보람" "연평도 포격전의 영웅처럼 국가를 지키기 위한 임무에 최선을 다하는 해병이 되겠다."라는 말은 자꾸 들어도 흐뭇하기만 하다.

모든 젊은이가 나의 손자처럼 바른 애국정신만 투철하다면 오늘날 이 나라 국방은 젊은이들로 하여 튼튼히 지켜지리라 믿는다.

(2017. 12.)

나는
수조안 활어다

생의 무늬

'생의 무늬'란 글을 읽고 나니 '나의 생의 무늬'는 어떻게 생겼으며 남에게는 어떻게 비쳐질까 생각해본다.

불혹(不惑)을 지나 "나이가 사십 넘으면 자신의 얼굴에 책임을 져야 한다."는 설교를 듣고 거울에 내 얼굴을 비춰 보기도 했다. 내 얼굴은 남에게 좋은 인상은커녕 삶에 지친 얼굴이었다. 우선 평안한 얼굴, 온화한 얼굴, 인자한 얼굴 표정은 아니어서 일부러 그런 얼굴을 해보겠다고 생각했으나 마음의 뒷받침 없이 불가능했다. 직장이나 사회생활 가정생활에 마음의 여유가 없었다. 당면한 문제를 해결해야만 살아남기 때문이었다.

직장에서는 부여된 사명 완수와 가정에서는 남편으로 부모로 바쁘게 살다가 보니 내가 책임질 수 없는 일그러진 얼굴일 때가 더 많았다.

직장 생활이 끝나면 좋아지겠지 했지만, 아들 딸 시집 장가 보내야 했고, 출가를 다 끝내면 했지만 병마가 찾아와 항상 마음의 여유가 생길 겨를이 없었다.

그래도 그때부터 내 얼굴을 내가 잘 가꾸어야겠다고 생각했다. 그러나 직장을 떠난 그 날부터 또 사기꾼에 빠졌다. 시집 장가 다 보내도 뒤치다꺼리가 많아서 마음의 여유가 많지 않았다.

아들딸 시집 장가갈 때의 일이다. 내 얼굴을 사돈들에게 잘 보이려고 거울 앞에서 일부러 우아한 표정 미소 짓는 연습을 많이 해보았다. 딴 사람이 보았다면 미친 사람으로 보았을 것이다. 그러나 연습효과가 나타났는지는 모를 일이 생겼다.

그 무렵 일어난 이야기다. 내가 차를 몰고 가다가 정지신호에 정차해 있는데 누군가 뒤에서 툭 들이받았다. 내려가 살펴보니 뒤 범퍼가 약간 흠집이 생겼다. 내가 평범한 표정으로 그냥 가시라고 공손히 했더니 그분은 감사하다는 표시로 고개 숙이고 혹시 '목사님이십니까?' 하지 않은가. 그때 표정 연습한 효과가 나타나지 않았는가 생각된다.

그러나 온화한 표정, 품위 있는 표정은 마음가짐이 선행되어야 하는데 그런 마음 갖기가 무척 힘들었다.

희수 망구를 지나면서 마음의 상태를 돌보고 좋은 인상 품위 있는 표정을 가지려고 더 노력하고 있다. 그러나 그런 마음만을 갖기가 힘들다. 마음의 상태가 생의 무늬로 표정으로 나타나기에 더

더욱 마음가짐을 조심하며 살고 있다.

아내가 정신과 병원을 찾게 되더니 그때부터 나에게 모든 것을 부정적으로만 생각하고 다가왔다. 반세기 지난 어려울 때 살아남은 경험이 전부 남편 탓으로 돌리면서 원망했다. 좋은 표정을 간직하고 살아보려던 계획이 그만 수포로 돌아가고 말았다.

오랫동안 마음고생을 하다가 어느 날 문득 생각을 바꿔야 살아남겠다고 생각되었다. '아내는 환자다. 그 책임은 나에게도 있다. 현실을 내가 받아들이자.'라고 생각하니 마음이 조금 편했다. '늙으면 찾아드는 불청객 병마를 전적으로 수용하자'고 생각하니 마음이 평안해졌다. 그래서 얼굴을 거울 앞에 다시 비춰보았다. 세월의 무늬만 나타난다. 표정연습을 다시 하자. 얼마 남지 않은 인생일망정 좋은 표정을 가족에게나 이웃에 보이고 싶어 노력한다.

그러나 최근 우리나라가 내 마음의 상태를 뒤흔들어 놓고 말았다. 사사건건 시비만 일삼던 국회가 쿠데타를 일으키고 말았다. 미확인된 탄핵 사유, 거짓보도 여론몰이로 가장 청렴한 대통령을 다수의 힘으로 탄핵하고 말았다.

촛불을 들고 임의행진곡을 부르는 철부지들을 보았다. 한편에는 태극기 들고 애국가를 부르면서 분통 터트리는 노병들도 보았다. 이런 모순된 세상을 바라보면서 그동안 마음밭을 가꾸고 좋은 표정을 하려고 애써온 것이 하루아침에 물거품이 되고 말았다.

정의가 빛을 보고 불의가 침몰하고 진실이 살아나 진정으로 사랑하는 자유민주주의가 승리하는 그날이 오면 망가졌던 내 표정이 살아날 것이다.

하나님! 망가진 내 얼굴에 좋은 표정이 다시 살아나게 해주시옵소서.

(2017. 2.)

지금의 행복이 행복이다

아침 밥상머리에서 아내는 느닷없는 말을 던졌다.

"8·15해방이 1주일만 늦었어도 당신을 만날 수 없어 좋았을 텐데…." 흙수저 출신을 만나게 되어 후회된다는 발언이다.

해방 즈음에 무슨 일이 있었기에 그렇게 생각하는가를 물었다. 식구들은 귀를 쫑긋했다. 아내는 태연한 얼굴로 말을 이었다.

6남매 중 셋째 딸로 태어나 아버지의 사랑을 독차지했다. 돈을 벌어 유학을 보내주고 빌딩을 사주겠다는 약속을 굳게 받았다. 그렇게 해줄 돈을 벌려고 일본 정부에서 큰 공사를 따내어 공사를 마치고 공사대금만을 수령하려 할 무렵 해방이 되어 공사비 한 푼도 못 받고 말았다.(사실 여부는 불분명함) 금 수저로 살아갈 인생이 하루아침 흙수저로 변해서 나를 만나 일생을 고생만 해왔다고 한탄하는 말이다.

나는 어떤 말로 마음에 상처를 더 나게 하지 않을까 고민하다가 사실대로 말해주는 것이 상책이라고 생각했다.

나도 6·25전쟁만 없었다면 당신을 만나지 않았을 거다. 그랬다면 나는 산골 농촌에서 장가가 알콩달콩하게 살지 않았겠나. "…정든 땅 언덕 위에 초가집 짓고 낮이면 밭에 나가 길쌈을 매고 밤이면 사랑방에 새끼 꼬면서…." 콧노래나 부르며 행복을 누릴 수 있었을 텐데, 전쟁으로 당신을 만나 오늘이 있는 거라고 대답했다.

"당신은 금수저 인생인데 나 같은 흙수저 인생을 만나게 되어 당신을 고생시켜 미안하오. 나는 원래 태어나기를 흙수저로 태어났으니 지금이 행복하오."라고 말했다.

식구들은 엄마 아빠 대화에 가슴 쓸어내리는 듯했다. 아내가 정신과 10여 년 치료를 받고 있는 처지라 어떤 돌발적 병적인 발언이 나와 말싸움이 벌어질까 염려하는 눈치다.

아내는 내 말에 더 보태지 않았다. 이때 아내에게 듣기 좋은 말을 해줘야겠다고 용기 내어 말을 했다. "나는 당신을 만나 행복했소. 지금 생각하니 당신이 고생하고 힘들었을 때가 우리들은 행복을 심었소. 내가 힘들 때 당신이 도와줬고 당신이 힘들었을 때 내가 길잡이가 되어준 것을 지금 생각하니 그때가 행복을 심는 시기였소. 그래서 지금의 행복이 행복이지 지나간 행복은 꿈에 지나지 않소. 이제 남은 세월 행복하게 살아갑시다."

그랬더니 식구들이 손뼉 치면서 웃어대니 아내도 흐뭇해했다. 이것이 우리들의 행복이오, 우리 가족의 행복이 아니겠소. 다가온 행복, 오늘의 행복을 잃어버리지 말고 잘 누리면서 살아가자고 마음속으로 말했다.

(2017. 7. 8)

나는 수조안 활어다

요즈음은 대형수조에 신선한 공기, 온도를 낮추어 활어를 운반하는 차가 있어 항구에서 먼 도시까지 싱싱한 활어를 공급하지만 간혹 죽는 물고기도 생긴다고 한다.

예전에는 항구로부터 먼 도시까지 활어를 수송하면 대부분 죽어버려 손해가 크다. 많은 수송업자 중 한 사람은 활어를 산 채로 잘 운반하여 많은 돈을 벌었다. 업자끼리 비밀로 하다가 동료업자가 그 비밀을 눈치채고 그 비법을 가르쳐 주면 한턱 쏘겠다고 했다. 술자리에 앉아 그는 숨겨진 비밀을 말했다.

"나는 활어 수조안에 메기 한 마리를 넣어서 운반한다." 했다. 듣던 친구들은 우리를 망하게 하려고 하는 말이다. 메기가 활어를 다 잡아먹어 버려 망하게 하려는 수작이 아닌가라고 항의했다.

그때 정중히 말했다. "메기 한 마리가 활어를 잡아먹으면 몇 마리를 먹을 수 있겠냐? 천적을 넣으면 잡아먹히지 않으려고 긴장하며 살아난다."라고 말했다.

나는 요사이 활어수송 수조에 갇혀 있는 신세가 아닌가 싶다. 젊어서는 인생 노년이 되면 유유자적하며 평안하게 살아가리라는 꿈을 가졌다. 그래서 다가올 노년을 바라보면서 불철주야 사회란 대형수조 속에 갇혀 생존경쟁으로 강자인 천적에게 잡혀 먹히지 않으려고 항상 긴장하며 살아왔다.

그런데 노년이 되고 보니 젊었을 때 생각해 본 노년과는 전혀 다르다. 건강이 생각과 달라져 내 몸이 내 생각을 받아들이지 못한다. 내 마음이 내 생각을 받아들이지 못하고 가족들이 내 생각을 받아들이지 못한다. 생각은 허공에 날아가고 긍정보다 부정적인 것이 나를 에워싼다.

서로 대화하며 협력하는 부부였는데 노년에 들어서 아내는 내가 생각하는 말은 아무리 올바른 말도 바르게 들으려 하지 않는다. 자신의 생각만이 옳다고 우겨댄다.

아내는 여러 해 동안 우울증을 앓고 있다. 척추질환으로 몸이 많이 불편하다. 질환도 남편 탓이라고 한다. 무엇이든 남의 탓으로 돌린다. 그런 환자의 간병을 내가 할 수밖에 없다. 육체적 고통과 우울증이 나의 삶의 틀을 깨트려버리고 가정의 안녕질서를 흔들어댄다. 가장인 내가 총책임을 져야 한다마는 힘겨울 때가 너무나도 많다.

아내와 나는 56년간 한 지붕 아래서 티격태격하면서 살아왔다. 그러나 행복할 때도 많았다. 그런 가운데 사업에도 실패하고 인간 관계에도 실수를 저질렀다. 아내의 뇌 속에는 부부로 살면서 잘되고 행복했던 사실은 다 잊어버리고 나의 실수 나의 잘못만을 두뇌에 녹화해 두었다가 그 녹화테이프를 풀어내는 듯 몇 분부터 최대 10시간까지 전력을 다해 분이 찬 혈기를 나에게 토해낸다. 정상적인 정신으로는 감히 할 수 없는 말이다.

나는 그 순간 '맹수의 왕이 스트레스로 죽는다.'는 말이 생각났다. '적당한 스트레스는 생활의 활력소'가 된다는 말도 수조의 활어에게 해당되지만 나 또한 그 범위를 벗어날까 심히 두려워진다.

아내의 말이 전부 틀린 말은 아니다. 동전 양면 같은 인생살이 아니었던가. 내가 젊었을 때 세상에서 살아남기 위해 발버둥치다가 실패하기도 했고 때로는 빗나간 일도 많았다. 실패와 빗나간 일 좋지 않았던 일 부정적인 일과 불행했던 일만 뇌 속에 녹화했다가 녹화필름이 돌아가듯 되풀이 토해내는데 참기 힘들 때가 한두 번이 아니다. 긍정적인 일과 좋았던 일 행복했던 일은 한건도 뇌 속에 머물지 않은 것 같다.

척추질환으로 걷기도 힘들고 행동이 부자유스럽다. 그것이 우울증을 증폭시킨 원인이 되기도 할 것이다. 이런 환자를 보고 내가 그 입장이라면 아내의 태도는 어떠했을까? 아내는 나를 헌신적으로 잘 돌봐주었을 것이라는 결론을 얻었다.

노년에 나에게 부여된 일로 생각할 때 즐겁지 않지만 받아 들여야 할 일로 생각해야 한다. 그러나 긴장되고 짜증스러운 것은 감출 수 없다. 그러나 나는 수송차 수조 안에 물고기처럼 생각하고 살아야겠다고 내 마음에 다짐한다.

하나님은 젊어서는 대형 세상 수조 안에 나를 긴장시켜 살아나게 하고 노년에 들어서 심신이 해이해질까 봐 긴장을 주려고 아내가 수조안 메기처럼 움직인다고 생각하며 감사하는 마음으로 살아야겠다. 그렇지만 내가 받아들일 수 있을 정도의 긴장을 넘어가지 않게 해달라고 하나님께 간구하며 살아가련다.

(2015. 6.)

망둥이

아내와 함께 강화도 강화풍물시장에 들렀던 때다. 늙은 할머니가 손짓하는 가게로 갔다. 건어물을 소개하는 할머니가 마치 어머니 같은 생각이 들었다. 그래서 뭣이든 사주고 싶었다. 가게 한쪽 뒷박에는 머리만 굵고 꽁지가 삐죽한 볼품없는 건어물을 담아 놓고 팔고 있었다. 말린 '망둥이'였다.

망둥이란 말을 듣는 순간 몇 해 전 서해바닷가 섬마을에서 망둥이 낚시해본 추억이 되살아나 망둥이 한 되박을 샀다. 할머니에게 요리법을 물었더니 굽기도, 찌기도, 조리기도 하여 서민들의 술안주, 밑반찬감으로 일품이라 했다.

망둥이를 검은 봉투에 넣었다. 아내가 뭣을 샀느냐고 물어도 알려주지 않았다. 아내는 아들딸 조카들까지 준다고 젓갈 대여섯 통을 샀다고 자랑하며 나에게 들고 차에 실어 달라고 했다. 그때 나도 망둥이를 샀다고 알렸더니 아내는 흉물스럽고 못생긴 고기를 왜 샀냐며 탓하고는 자기 눈앞에는 내놓지 말라 했다.

내가 망둥이를 닮았는데 당신 앞에 내놓지 못한다면 나는 어떻게 당신 앞에 서냐고 했더니 아내는 말이 없었다.

친구 따라 망둥이 낚시 갔을 땐 해 질 무렵이었다. 석양의 노을이 파도를 타고 넘실거리는데 물고기가 여기저기서 펄떡펄떡 물위로 뛰어올랐다. '꼴뚜기가 뛰니 망둥이도 뛴다.'는 말이 생각났다.

친구가 가르쳐준 방식대로 지렁이를 미끼로 꿰어 낚시를 던지기만 하면 망둥이가 덥석 물어주어 낚아 올렸다. 같이 간 친구도 연신 바쁘게 망둥이를 낚아 올렸다. 팔딱거리는 망둥이를 처음 보는 순간 정말 볼품없었다. 굵기 모양 때깔도 마음에 들지 않았다. 어릴 때 친구들이 '머리만 커다랗고 배만 뽈록하다'고 나를 놀려대던 그때 내 모양 같았다.

망둥이는 깨끗하지 못한 근해에 떼 지어 다니면서 옆에 친구가 미끼를 덥석 물어 낚여 죽어가는데도 옆에서 또 미끼를 덥석 물어댄다니 대갈통만 크고 배만 불룩한 치매환자 물고기거나 뇌 없는 물고기 아닌가 싶었다.

경부고속도로가 생기기전 땅 붐이 일어날 때다. 강북 돈암동에 살 때 강남 개발바람이 불었다. 나도 망둥이처럼 없는 돈 긁어모아 강남 말죽거리에 땅 200평을 덥석 사놓고 몇 해 지난 뒤 고속도로가 난 후에야 그 땅을 가보았더니 땅이 고속도로 접도구역에 들어가 쓸모없이 되고 말았다.

공직에서 나왔을 때다. 등산이 건강에 좋다기에 설악산 대청봉 한라산 백록담 지리산 천왕봉 이름난 산들을 망둥이처럼 떼지어 무리하게도 올라다녔다. 그런데 지금은 나에게 남겨진 것은 관절이 아파서 평지 걷기도 힘든 것뿐이다.

이민 바람이 불 때다. 아는 사람들은 미주지역은 물론 동남아 은퇴이민을 가고 있었다. 근해만 돌아다니는 망둥이처럼 내 살던 대한민국 지역을 떠나기 싫어 이민을 가자는 친구의 권유가 있어도 나는 나라를 포기하기 싫었다.

돈에 현혹된 때도 있었다. 증권, 펀드를 하면 일확천금을 벌 수 있다는 은행직원들의 달콤한 말만 듣고 가입했다가 손실을 보고 빠져나와 또 망둥이 짓을 했구나 싶었다.

그런 내가 또 편지 한 장의 문장력도 없는 늙은 놈이 남이 자서전을 쓴다기에 나도 뛰어들었다. 뒤늦게야 내가 망둥이처럼 또 뛰어들었구나 싶다.

부엌에서 삐쩍 마른 망둥이를 아내 몰래 구웠더니 딱딱하게 뼈만 씹는 것 같아 먹기 힘들고 쪄서 먹었더니 구운 것보다는 조금 더 좋았다.

맛은 멸치의 뒷맛, 꽁치 뒷맛, 정어리 맛도 약간씩 나는 것 같다. 고급 어종의 맛이 아닌 서민 어종의 맛이다. 그것은 독특한

제 맛을 지니고 있다. 그래서 서민들의 술안주감으로 밑반찬으로 사용되는 것 같다.

나는 망둥이 닮은 사람이다. 그러나 비단 늙어 비뚤어지고 말라 빠져 볼품없어도 남은 소망이 하나 있다면 늙어서 뛰어든 자서전 공부에 망둥이가 서민들의 술안주 감 정도인 맛을 잃지 않은 한 나도 한 편의 글이라도 남겨둘 수 있다면 행복할 것 같다.

어찌 좋은 날이 없었으리

가난은 종합적인 병이다. 굶어서 죽고 살아서도 고통인 병이고 세상에서 가장 무서운 병이다. 슬프고도 가슴 아픈 병이다. 오늘의 풍요 속에서도 굶어 죽어간다는 슬픈 이야기가 들려온다.

어린 시절을 되돌아보면 끔찍한 일들이 많았다. 어느 봄날 얼굴과 온몸이 퉁퉁 부은 아줌마를 보았다. 그는 너무나 가난해 "곡식이 없어 송기수제비 나물죽만 먹다보니 병들었다."고 말했다.

오늘날 풍요 속에 비만을 경계한다는데 지구 한 모퉁이에는 굶어 죽어가는 어린이가 많다고 한다. 몇만 원이면 몇 달을 살릴 수 있다는 광고를 보고 나도 몇 년간 지원해오다가 금년 들어 그만두고 말았다. 끝이 보이지 않는다고 끊었으니 못난 내 생각이다. 옛날 '가난은 임금님도 어쩔 수 없다.'는 말로 대신하기는 부끄럽다.

요사이 들으면 웃을 일이지만 내가 소대장 시절 소대원이 휴가에서 돌아오면서 쌀 한 말을 갖고 와 선물로 주어 고맙게 받아먹은 일이 있다. 아내와 나는 그때 그 고마움을 지금도 잊을 수 없어 그 이름(홍영표)마저 잊지 못한다.

그때 한국의 GNP 67$ 시절 '우리도 한번 잘 살아보세' 노래를 부르면서 '새마을 사업'으로 한강의 기적을 이루는 데 동참하였다는 사실은 오천 년의 가난을 물리친 그 기억과 영원히 역사에서 지울 수 없을 것이다.

요사이 부모의 재력을 수저에 비유한 〈수저론〉이란 신조어가 화제다. 금수저, 은수저, 동수저, 흙수저로 구분, 부모로부터 유산을 많이 받고 적게 받고 못 받고 태어난 것을 풍자한 신조어다. 나는 물론 '흙수저' 물고 태어났다.

근래 초저녁 잠자리에 들곤 한다. 바로 미닫이 옆방이 아내의 방인데 커다란 목소리가 내 잠을 깨워버린다. 기도로 하는 말이지만 기도라기보다 원망, 한탄, 불만, 불신, 질투, 질타, 억울하다는 등의 내용뿐이다.

"아기를 가졌을 때 먹고 싶은 것을 못 먹었고 냉면 복숭아도 못 먹었다. 아파서 다 죽게 되었을 때 쌀 한 가마니 값인 고가약이라고 '알부민' 한 병도 못 맞게 했다. 외도만 하면서 한 번도 돌봐주지 않고 죽으라고 내버려 두었다. 신혼여행으로 시댁에 갔더니 먹을 만한 음식 없어 계란 몇 개 먹고 돌아왔다. 남편은 사기만 당하고 내가 해결하느라고 고생했다. 한 아이 등에 업고 또 한 아이

손잡고 산동네 오르내리면서 집 짓느라고 고생했다. 전부 내가 번 돈으로 집을 샀는데 제(남편) 이름으로 되었다고 제 것이라 한다. 전 재산은 내 것이다. 그렇게 살다가 병들게 되어서 억울하다…."

이 외에도 수없이 남편의 잘못만을 지적하며 남편을 잘못 만나 병들어 억울하다는 기도이다. 그런데 아내가 환자이니 모든 말을 받아줄 수밖에 없다.

결혼 55주년을 넘긴 팔순을 넘긴 부부인데 내가 최근에 있었던 악몽까지 들추어 나를 원망하고 원통해 하며 질타하는 내용뿐이다. 55년 같이 살면서 어찌 불행한 일만 있었겠는가. 불행만 있었다면 오늘까지 어떻게 살아왔는가 싶다.

아내는 정신건강과 진료를 10년 가까이 받아왔고 또 척추병에 걸려 척추치료를 받는 형편이다. 이런 병을 노인성이라고 인정 못하고 전부 '남의 탓' '남편 탓'으로 돌려서 분통만 터뜨린다.

아내의 병세를 내가 잘 알아서 간호하고 있지만, 나의 인내심이 언제까지 갈지 의심날 때도 간혹 있다. 나의 인내심이 무너질까 두렵다. 오래전 청송에서 금슬 좋은 노부부의 종말이 너무나 슬픈 뉴스였기에 오늘날 생각나기도 한다.

치매 환자를 두고 자신만이 먼저 이 세상을 떠난다면 그 환자는 자식들에게 무거운 짐이 되고 전 가족의 우환이 될 것이 환히 보이니 그 할아버지는 최선을 다한 것 같아 그의 용기가 부럽다.

아내가 탓하는 반세기 전으로 돌아가 본다. 원망과 한탄의 내용은 거짓말은 아니다. 그러나 당시에 좋았던 일 행복했던 일은 완전히 머리에서 지워져 버렸고 어렵고 불행했던 일만을 머리에 남아 있다는 의사의 말이다.(정신 건강과에서 뇌를 검사했더니 과거를 기억하는 뇌는 살아있고 근래 일을 기억하는 뇌는 미약하다고 한다.)

우리는 가난 속에 결혼하여 궤짝 두 개로 문간방 월세살이로 시작한 부부였으나 그때가 가장 행복한 출발이었다. 한 달 월급 8천 원 쌀 한 가마 값이었지만 절약하면서 잘 살았다. 아이가 태어나 식구가 불어나고 고생살이하면서도 원망 없이 살았다.

가난한 시대 흙수저 물고 태어난 것을 원망한 적이 한 번도 없었다. 나에게 주어진 운명적인 분복으로 생각하며 살아왔다. 그 시대는 알부민 한 병이 쌀 한 가마니 값인지는 몰라도 죽을병에 걸리지 않았다면 생각 못할 처지였다. 자식새끼 가르치고 식구 먹여 살리기 위해서 병원이나 들락거리고 알부민 같은 고가 약은 만져볼 엄두도 못 낼 형편이었다. 더군다나 외식이란 생각만 해도 사치였다.

우리는 그런 가난을 밑바탕으로 절약하고 또 절약, 절약의 탑을 쌓아 지금 마음껏 쓸 수 있고 먹고 살 만하게 되고나니 남아 있는 것은 질병과 짧은 세월뿐이다. 이를 통탄한들 돌아올 수 없이 건너버린 강이 아닌가.

지금 나이 들고 병든 것을 '가난 탓, 당신 탓, 불행 탓, 조상 탓'으로 원망과 통탄한들 하나님인들 받아줄 수가 없을 것이다. 오히려 긍휼한 마음을 주십사고 기도한다면 들어주실지 몰라도 공갈치듯 큰소리로 항의 질타한들 무슨 소용이 있겠는가? 미세한 음성도 들어주시는 하나님이신데 큰소리 지른다고 들어줄 리 만무하다.

지금 아내는 병이 들어 병에 붙잡혀 '병의 종노릇' 하고 있는 것을 어쩔 수 없다. 다만 인간적인 의술로 최선을 다하고 나머지는 하나님의 긍휼하심을 기도할 뿐이다.

병은 늙어서만 찾아드는 것이 아니다. 병원에 가보라. 노소 구분 없이 병원에 차고 넘친다. 가난 탓, 병 탓, 당신 탓만 생각할 것이 아니라 생각을 바꾸면 행복해질 수 있다. 남은 세월 생각을 바꾸도록 하나님께 기도할 수는 없을까.

가난을 탓함은 남편을 탓함이다. 아내 병이 더 발전될까 심히 두렵다. 남은 세월은 얼마 되지 않는데 남의 탓보다 내 탓으로 돌릴만한 마음이 있다면 좋으련만.

(2016. 2.)

손자들에게
―동현, 동욱에게

서울을 떠나갈 때는 정원에 나무들이 무성하여 매미소리가 요란하였지.

지금은 나뭇잎이 피어나고 꽃들이 활짝 피어났구나. 활짝 피어난 꽃들을 너희들이 오는 날 보여 주겠다고 너희 할머니는 정성을 더하여 잘 가꾸고 있단다.

동현, 동욱아, 어린이날 하루 전에 만날 것을 준비하여 너의 할머니는 가을 김장같이 김치를 담그고 나는 너희들의 방과 화장실을 돌보고 고쳤단다.

지난여름 어느 날 매미소리가 요란하게 울기에 내가 '동현'에게 저 매미가 무어라 하며 우느냐? 물었더니 너는 '열심히―열심히' 운다고 대답하였지.

그때 너는 태권도를 열심히 할 때였고 초등학교 공부도 '열심히' 할 때로 이 할아버지를 기쁘게 하려고 '열심히―열심히'라고 대답하였지. 그 대답이 감동적으로 받아들여져 잊히지 않는구나.

동욱이는 할아버지가 '왕—탕'을 사주겠다는 약속을 했더니 너희들이 약속을 지키라고 다짐하여 지난 여름날 저녁 서초동 유명한 '왕 탕'집에 온 식구가 갔었지. 고기와 왕 탕을 먹을 때, 너는 처음 먹어보는 음식이 입맛에 맞지 않아도 네가 사 달라한 음식이기에 몇 번 맛을 보고 "맛은 좋은데 나에게는 맞지 않는다."라고 태연하게 한 너의 말이 잊히지 않는구나.

얼마 전 너의 할머니 생일날 할머니는 내심 쓸쓸하였으나 말 못하고 있다가 너희들의 "해피버스 데이 투 그랜드머더" 생일축하 노래 전화를 받고 기분이 무척 좋아졌단다.

미국으로 간 지 1년이 채 못 되었으나 무척 자랐을 것이고 말도 더 잘할 것을 생각하니 만나볼 날이 3일 남았는데도 기다려지는구나.

그럼 안녕.

(2000. 5. 1.)

산수(傘壽)에 회혼가(回婚歌)

다시 만난 아내

어디로 방황하다 돌아왔소

안타깝게 황금 같은 세월 잃어버리고

61년 만에 돌아왔다니 얼마나 고생했소.

하나님이 가엾게 보시고

이제는 결혼서약 같이 방황하지 말고

둘이 한 몸 되어 잘 살라 하셨다

우리 둘은 하나님만 붙잡고

젊음을 바탕으로 맨주먹으로 서로 만나

비가 오고 바람이 불어도

흔들림 없이 두 손 잡고 열심히 잘 살았다

어찌 기쁠 때도 즐거울 때도 눈물 날 때도 없었으리요.

아플 때도 많았고 건강할 때도 있었다

행복할 때도 있었고 불행할 때도 있었다

이제 아들 딸 시집장가 다보내고
남은 세월 둘의 앞에 행복만이 보였는데
강도 같은 병이 우리 앞길 막아섰다
앞길 막아선 병은 몸과 마음 아프게 방황케 하고
피붙이들도 괴롭게 하고 당신과 나도 멀게 하였다.

우리 일생 교회 길이 막혀 못 간 일이 없었는데
우리의 죄가 얼마나 크기에
입을 막고 너 죽이겠다는 것같이 주먹 내밀고 악수하고
손을 씻고 방안에서 뛰어 앉아 회개하라고
교회 가는 길까지 막힌 지 1년이나 되었다

방콕에서 인터넷 예배(김운성 목사)
하나님 말씀(창39:1-9)에서
요셉이 보디발 집 종으로 팔려 갔으나
하나님이 형통한 자로 그의 밭에도 복 주시고
그의 아내 유혹도 물리치게 하심 같이
우리에게 새날 새사람이 되라고 깨닫게 하셨다
그래서 돌아보니 2021년 1월 10일 일요일

산수(傘壽)년에 회혼(回婚)의 해(88세에 61년)
다시 태어남을 깨닫게 하셨다

하나님이 이제는 방황치 말고
부부로 돌아가라 명령으로 받아들여
서로 악수하고 부둥켜안고 기뻐했다
둘이서 다짐하고 달력에도 기록하고
삼자(구자분)에게도 알려주었으나
하나님만 증인으로
둘 마음판에 잘 새겨 놓고 살아라 하셨다.

이제 살아온 날들보다 살아갈 날이 많지 않은데
우리 둘이 다정다감하게 살아서
후손에게 덕으로 남기고 이웃에 자랑꺼리로
알뜰살뜰 세상 끝날까지 새사람으로 잘 살아갑시다.

이 글을 아내에게 바친다.

2021. 1. 10(일) 이 날을 기념하여 쓰다.

선긋기는 위험이다

이웃과 토지경계선으로 싸움질한 적이 한두 번이 아니다. 그럴 때마다 지적측량을 해서 경계를 확정한다.

요사이 서해선을 놓고 평화수역 논의란 말들이 매스컴을 타고 있다. 이는 북한이 비핵화를 전제한 논의로 안다. 북이 핵을 포기한 후에 해도 늦지 않는 일이다.

우리는 선으로 인해 얼마나 많은 고통을 받고 있나?

대표적인 선이 38선이다. 1945년 일제에서 해방되자 미소 간에 그어진 선이다. 그 선이 오늘까지 우리 민족의 고통으로 안고 이어가고 있지 않은가.

또 애치슨선이다. 애치슨라인 선언(Acheson line declaration)은 1950년 1월 12일에 발표된, 미국의 국무장관이었던 딘 애치슨에 의해 발표된 선언이다.

미국의 동북아시아에 대한 극동 방위선을 의미한다. 1950년 1월

10일, 미국의 극동방위선이 타이완의 동쪽 즉, 일본 오키나와와 필리핀을 연결하는 선이라고 선언했다. 한국이 미국의 극동방위권에서 제외된다고 해서 6·25 한국전쟁을 촉발시켜 한반도가 잿더미 되지 않았던가.

다음은 EEZ(배타적 경제수역, Exclusive Economic Zone)선이다. 박정희 대통령은 1965년 6월 22일 한일어업협정을 체결에서 독도는 우리 땅이라는 전제하에 체결되었다.

일본은 미국에 로비하여 1965년 5월 17일 존슨 대통령이 방미 중인 박정희를 만나 "독도를 일본과 공유하라. 공동 등대를 설치하라."는 등의 압력을 넣었지만 '있을 수 없는 일'이라고 일언지하에 거절했다. 그 무엇으로도 독도를 바꾸려 하지 않는다고 밀어붙였다.

그래서 독도가 우리 수역임을 잘 유지해 오다가 그만 DJ가 대통령이 되더니 1998년 11월 28일 新한일어업협정에서 독도를 한일 공동관리 수역으로 일본에 양보함으로 독도가 우리 땅이라는 근거가 사라지게 되었다.

그로 인해 3천여 척의 쌍끌이 어선들이 일자리를 잃었고, 선박 및 어구류(漁具類) 제조업체들이 날벼락을 맞았다.

김대중은 〈독도는 우리 땅〉이라는 노래를 '방송금지곡'으로 지정하여 못 부르게 하였으며, 국민들이 독도를 방문하는 것조차 금

지시켰다. 선 한 번 잘못 양보해서 한일간 다툼의 씨앗이 되어 오늘까지 시빗거리가 되고 있지 않았는가.

또 서해 북방한계선이다. '북쪽에 아무리 퍼주어도 남는 장사'라 하던 노무현 대통령은 한국 서해의 북방한계선(Northern Limit Line). 내해 '서해 해상평화공원' 꿈만 꾸다가 꿈으로 사라지고 그 서해에서 천안함 침몰사건과 폭탄 세례도 받지 않았던가.

국가적 차원에서 그은 선은 양보할 수 없는 중요한 선이다. 38선을 무시할 수 없는 대한민국의 방위선이다. 이를 무시하고 38선 넘어 북쪽 적 지역인 개성에 공단을 지어주고 금강산 관광을 미끼로 시설을 지어주고 인질감으로 제공하며 돈까지 퍼주고 그 결과로 오늘날 우리는 핵위협에 처하지 않는가.

최근 미북 정상회담으로 또다시 노무현이 시도하다가 못한 서해 북방한계선을 현 정부가 만지작거리고 있다. 김대중의 독도 양보선이나 38선을 무시하고 당하는 재앙이나 국가적인 선은 국가 안보에 지대한 영향을 끼친다.

그렇게 중대한 38선을 아이들 땅따먹기 놀이하듯 국가를 대표한다는 사람들이 잘못되고 의식 없이 넘나드는 행태는 국민에게 선에 대한 감각을 무디게 하려는 심리전같이 보였다.

서해안선은 노무현 정부가 이루지 못한 것을 또 성급히 서둘 것이 아니라 북이 정말로 핵을 포기하고 평화의 기반이 조성되었을 때 해도 늦지 않다.

조급증은 병의 일환이다. 그 병으로 애치슨선, DJ신한일어업협정선의 전철을 다시 밟을까 심히 우려된다. 그러지 않아야 대한민국이 살 수 있다.

(2018. 6.)

마음을 볼 수 있다면

세상에 볼 수 있는 것도 많지만 볼 수 없는 것도 많다. 남한 목사가 북한을 방문했다가 봉변당할 뻔했다는 말을 들었다.

평양에 여럿이 모인 파티장소에서 사회자가 "김일성대학 교수가 목사에게 질문할 테니 답변하시오."라고 했다.

교수가 일어서더니 "목사 동무 질문하겠슈다. 답변하시구려. 목사 동무는 하나님을 보았어요? 우리는 보지 못한 것을 믿지 않습네다."라고 기세등등하게 목사에게 물었다.

목사가 일어서서 "나도 동무 선생에게 하나 묻겠습니다. 그 답변만 하면 나도 답변하겠습니다."

"그러시오."

"당신은 고조할아버지 보았어요?"

"물론 못 봤지요."

"고조할아버지가 안 계셨다고 믿습니까?"

목사의 질문에 그만 질문자는 답변을 못하고 앉았다는 말을 들었다. 볼 수 없는 것이 더 중요하고 더 많다는 것을 증명해 주게 된 것이다.

볼 수 없는 것 중 가장 크고 중요한 것이 마음이다. 그래서 외눈박이 궁예(弓裔, 弓裔) 왕은 상대의 마음을 볼 수 없어서 '관심법(觀心法)'을 사용했다는 TV 드라마를 본 적이 있다. 옛 궁예의 그 관심법이 오늘날 이 나라에서 '외눈박이 적폐청산관심법'으로 환생한 것 아닌가 싶다. 마음은 볼 수 없어도 그가 한 행위를 보면 마음을 알 수 있다. 그 행위가 곧 그의 마음이기에 행한 자의 마음을 아는 것이다.

나는 어느 '우국지사'의 안타깝게 한탄하는 글을 읽고 나니 그가 지칭하는 사람의 마음을 들여다보는 것 같았다.

〈우리가 어쩌다 이런 사람을 '대통령'으로 뽑았더니〉라는 제목의 글이다.

이명박 지우기 위해, '사대 강' 없애야 한다고, 박근혜 지우기 위해, '위안부' 합의도 깨버리고, 박정희 지우기 위해 1965년 한일협정도 대법원을 통해 '무효화' 시켜놓고, 이승만 지우기 위해 1948년 '건국일'을 죽어라고 반대한다.

NLL 지우기 위해 9·19군사합의에 '서명'했다. 자랑스러운 '핵기

술'을 지우기 위해 '탈원전'을 밀어붙였다. '한미 상호방위조약'을 지우기 위해, '전작권' 환수에 기를 쓰고 매달린다.

한강의 기적을 지우기 위해, '소득주도' 성장에 목숨을 걸었다. 자유 이념을 지우기 위해, '교과서'를 '걸레'로 만들어 놓는 데 성공했다.

反김일성 정서 지우기 위해, 오늘도, 내일도, 신문방송은 주야장천 '평화'를 노래한다. 의회주의 지우기 위해 주사파 '운동권 세력'을, 청와대·정부·법원·검찰·종교계·정치계·문화예술계 등 요소요소에 심어 놓고… '헌법' 위에, '촛불' 올려놓기 공작에 주야 매진한다.

세계 10대경제대국의 풍요 지우기 위해 일본에 칼날을 겨누고, 죽창가를 '선동질'하고 있다. 마침내 '대한민국'을 '역사'에서, 지울 날이 가깝게 다가왔다.(인터넷에서 인용)

위의 글을 읽고 나니 '나는 한 번도 거짓말 안 했다.'는 사람, '아무리 퍼주어도 남는 장사'라고 한 사람들의 마음을 들여다보는 것 같다. 지금은 대를 이어 자유대한민국을 '태어나지 말아야 하는 나라'로 인도하는 것 아닌가 하는 두려움이 앞선다.

위의 '우국지사의 글'은 '보지 못하는 대통령마음'을 담아낸 글인 것 같으니 당시 우리들의 선택한 마음이 문제였던 것 같다. 선택기회가 있을 때 문제 유무를 잘 구분하여 올바른 행사를 해야 할 것이었다.

늦어도 나라를 살리려면 국민이 선택하는 자는 정직과 진실한 자, 헌법을 준수하고 자유민주주의 시장경제 원칙을 지킬 수 있는 바른 마음을 가진 지도자를 우리 손으로 선택하지 않고는 대한민국이 살아남을 수 없을 것이다.

(2020. 1.)

거짓과 진실이 뒹구는 3·1절

오늘 3·1절 99주년을 맞으니 서대문형무소 역사관에서, 광화문광장에서 거짓과 진실이 난무하고 있다.

대통령은 기념사를 통하여 거짓된 역사관 비뚤어진 안보관을 펼치고, 광화문광장에서는 태극기를 든 남녀노소 100만이 넘는 국민들이 진실을 바탕으로 애국충정을 호소하고 있다.

대통령은 "1948년 8월 15일 일제로부터 해방은 우리의 독립운동으로 이루어졌다고 했다. 선조들이 '최후의 일각'까지 죽음을 무릅쓰고 함께 싸워 해방을 이뤄낸 결과라고도 했다."

선조들이 독립운동을 하지 않았다는 것은 아니다. 분명히 했다. 그런데 왜 최후의 일각까지 싸워 독립운동하여 해방되었다면 전승국문서인 '일본의 항복문'에서 우리임시정부 서명이 빠졌는가. 분명 우리의 해방은 2차 대전에 연합군에게 일본이 항복함으로써 얻어진 해방이다.

또 "분단이 더 이상 우리의 평화와 번영에 장애되지 않게 해 3·1운동으로 시작된 국민주권의 역사를 되살려냈습니다. 1천7백만 개의 촛불이 가장 평화롭고 아름다운 방식으로 이 역사를 펼쳐 보였습니다. 우리 힘으로 광복을 만들어낸, 자긍심 넘치는 역사가 있습니다. 우리는 우리 스스로 평화를 만들어낼 역량이 있습니다. '항구적 평화 체제 구축과 평화에 기반'한 번영의 새로운 출발선으로 만들어나가겠습니다. 우리는 잘못된 역사를 우리의 힘으로 바로 세워야 합니다."라고 했다.

'우리 힘으로 광복' 즉 해방이 되었습니까? 거짓말입니다. '항구적 평화체제 구축과 평화에 기반'을 말하면서 북한과 대등한 힘의 균형을 왜 깨려고 합니까? 핵과 재래식 무기가 대등합니까? 힘의 균형이 깨어지면 패망입니다.

북한이 '핵 있는 가짜 평화'를 하겠다는 사실을 모르고 하는 말입니까? 북은 20년간 비핵화 협상을 진행하면서 뒤로 핵·미사일을 개발해왔다. 우리가 핵 개발비까지 대주며 구걸 평화를 해오지 않았습니까. 이렇듯 대통령은 우리 역사를 진실되게 말하지 않고 거짓말을 서슴없이 해대고 북핵에 대하여 비뚤어진 이야기만 하고 있다.

'평화를 원하거든 전쟁을 준비하라.'는 안보의 명언을 거부하고 사드배치까지 거부하던 자들이 입으로만 평화를 외친다고 평화가 유지될 수 있다고 보는가?

반면 광화문에는 태극기와 성조기를 든 수많은 인파가 거대한 물결을 이뤘다. 그들은 모두 진실을 바탕으로 분노와 저항의 함성을 높이 외쳤다. 3·1절을 맞아 서울 시내에 모인 100여만 인파는 문재인 정권의 친북 굴종 행보와 한미동맹 약화 시도, 그리고 우파인사들에 대한 무분별한 체포 탄압 등을 들어 정권의 실정을 규탄했다.

기독교 등 종교단체가 나라를 위해 간절한 마음으로 기도했고, 어린이를 데리고 나온 부모들, 중고등학생들과 청년들, 손을 잡고 나온 연인 등 젊은이들도 태극기와 성조기를 들고 한 마음으로 외쳤다. 남녀노소 모두 한 목소리로 문재인 정권을 규탄하며 퇴진을 촉구하는 목소리도 드높았다.

서울역에서부터 광화문까지 태극기와 성조기를 든 인파로 발디딜 틈이 없었다. 광화문역은 한때 몰려든 인파로 외부로 빠져나오지 못하는 상황이 벌어지기도 했지만 질서는 유지되었고 특별한 사고 없이 행사는 끝났다.

태극기의 외침의 대략 내용은 "개헌반대/ 헌법수호/ 전시작전권 전환반대/ 핵 포기 없는 대북지원 반대/ 박근혜 대통령 즉각 석방 촉구/ 문정권의 좌측통행 국민은 절망이다/ 한미동행 와해 연방제 통일 음모 즉각 중단하라/ 사회주의 정책 철폐하고 시장

경제 복원하라/ 5·18명단공개하고 특혜폐지 하라/ 공산주의 개헌반대/ 한미동맹 강화/ 자유민주 수호/ 또 대한민국이 김정은과 싸우는데 문재인정권은 어느 편인가? 김일성주의자들(주사파)이 청와대를 장악, '국정농단'을 하고 있다는데 이에 답하라!"라고 외쳤다.

대한민국 언론은 침묵했다. 이런데도 민주주의 국가에 언론의 자유가 있다고 보는가? 통치자의 거짓 무소신 오판은 전쟁을 부를 수 있다. 안보 관련 언행이 다르면 국민은 어떤 말도 믿지 않는다.

오늘 3·1절, 진실된 역사를 배워야 진실된 미래를 기대한다. 거짓이 세상을 지배한다면 그 나라는 희망 없다. 진실을 짓밟지 말라.

(2018. 3·1)

거꾸로 보이는 나라

거꾸로 돌아가는 현상을 보고 살자니 어지럽다. 철봉에 매달려 거꾸로 보이는 세상, 물구나무서기를 하며 거꾸로 보이는 세상, 연못에 비친 거꾸로 보이는 풍경 모두 거꾸로 보면 어지럽다. 어릴 때는 그런대로 보고 지날 수 있었지만 나이 들고 보니 너무도 어리둥절해진다.

잡지에서 읽은 글이다. 거꾸로 보고 사는 여자가 있다 한다. 세르비아 태생의 Bojana Danilovic(28)는 모든 것이 거꾸로 보이는 매우 드문 뇌 장애를 가지고 있다. 그가 거꾸로 하는 행동이 정상이라니 희귀병이다.

미국 외신이 보도한 한국의 '거꾸로 된' 탄핵 절차, 탄핵 당시 외신도 한국의 박대통령 탄핵이 이상하다는 것을 보도했다. 위아래 기사는, 미국 정부가 운영하며 전 세계에 전파되고 있는 언론기관 V.O.A(미국의 소리)의 뉴스 제목에서도 '한국의 거꾸로 된 탄핵 절차를 이해하기'라 했다.

한국은 민주주의적 절차로 뽑은 대통령을 '탄핵 먼저! 조사는 나중에 …'라는 거꾸로 된 방식으로 진행되고 있다고 했다. 확실한 사실 증거도 없이 단순한 의혹만으로 정치인들에 의해 탄핵안이 가결되었으며, 정치적인 이유 때문에 이런 일이 벌어진 것 같다는 전문가의 의견을 포함하고 있다.

그렇게 지난해 12월 9일 국회서 탄핵소추안이 의결되고 금년 3월 10일 헌재서 파면선고 끝나 대통령을 끌어내리고도 탄핵 후 8개월 파면 후 4개월이 지난 지금도 무슨 죄목인지 어떤 범죄인지 판결을 못하고 있지 아니한가?

촛불집회 참가자들은 '대한민국의 모든 권력은 국민으로부터 나온다(헌법 제1장 1조 2절)'고 외치는데? 다른 민주주의 국가에서는 '국민'이란 헌법에 상징적으로 존재할 뿐, 그 국가를 직접 운영하는 실체는 아니다. 국가는 국민이 뽑은 대표자와 임명 공직자들, 공정한 법 시스템으로 운영되는 것이다. 민심이 법 위에 있는 것은 법치국가 아니다. 다른 민주주의 국가에서는 군중 집회가 소통의 수단이지, 막강한 힘을 행사해 법 제도를 지배하는 상황까지는 가지 않는다.

영국인 마이클 브린 씨는 "탄핵 중대 사유로 '세월호 사고'를 따지는 건 내게는 좀 이상하게 보였다."라고 말했다. 과거 삼풍백화점 사건, 대구지하철 사건, 대소간 재난사건을 대통령이 책임지는 것 보았는가? 군에서 수송버스가 전복하여 병력손실을 입었다고 국방장관이 책임지는 것 보았는가. 세월호 사건, 학생들이 수학여행 가다가 당한 해상재난 사고를 대통령이 책임질 일인가?

1월 19일 국회서 탄핵안가결을 헌법재판에서 심의 중 절차적 오류를 바로잡아 새로 심리해야 한다.

이날 헌재 재판정에서 권성동 탄핵소추위원장은 새로운 소추의 결서를 헌재에 제출하겠다고 진술했다. '구체적 범죄 사실에 대한 유무죄는 형사 재판에서 가려야 할 사안인데도 탄핵소추안에 포함된 것은 국회가 탄핵 심판을 잘못 이해한 것'이며 '우리 스스로 과오를 인정하고 이를 바로잡기로 한 것'이라고 해명했다. 소추자인 국회가 스스로 소추 내용이 잘못되었다고 밝힌 것이다.

탄핵소추위원장의 그런 법정 진술에 따라 이번 탄핵 재판은 무효 재판이어야 한다고 주장하는 이가 많았다.

원래 국회는 검찰의 공소장을 근거로 탄핵을 의결했다. 국회 자신이 설치한 특검과 국정조사위원회의 조사가 끝나는 것도 기다리지 않고 서둘러 기소한 것이다. 한껏 늘려도 도덕적 책임에 지나지 않는 대통령의 '세월호 7시간' 행적을 시위대의 위세에 눌려 굳이 소추안에 넣고서, 항목이 너무 많으면 적당히 추려서 심리하라고 헌재를 다그쳤다. 그렇게 야단법석을 부리고서, 이제 와서

탄핵 소추안이 잘못되었다고 밝힌 것이다.(헌법재판 진행 건은 복거일 특별기고문에서 인용)

오류 있는 탄핵안을 알고도 계속 심의하는 헌법재판관이나 이를 가결한 국회의원들, 세르비아 태생의 Bojana Danilovic(28)와 같은 두뇌를 갖고 있는 건지 의심을 해봐야 한다. 오류를 그대로 두고 '새로운 소추 의결서'를 헌재에 제출하겠다는 것은 스스로 잘못한 탄핵임을 시인한 것이니 오히려 국회의원 몽땅 국민의 탄핵을 받아야 될 것 아닐까.

그런데도 헌재는 대통령탄핵사유 헌법 84조(내란 또는 외환죄)를 지적하지 못하고 3월 10일 헌재 의원 8명이 전원일치라는 이름으로 5000만이 선출한 대통령을 파면시켰다.

촛불정신으로 우파 대통령을 끌어내리고 좌파가 41% 지지로 새 대통령이 탄생했다. 그가 취임하자 말자 대한민국 정통성을 거슬려가려고 시도한다.

19대 대통령이 아닌가? 자유민주주의의 궤도를 달려온 19대로 12사람 중에 2사람만이 우파궤도를 이탈했는데 또 이탈한 그 노선을 따르겠다고 선언했다. 그런 그가 '사람중심경제'를 주장한다. 우리는 '시장경제' 체제다. '인본경제' '인민경제'로 들리는 대목이다.

고용 창출로 경제를 이끌어가겠다 한다. 경제가 향상되면 일자리가 늘어나 고용이 창출될 터인데 먼저 고용을 창출한다니 앞뒤가 바뀐 것 아닌가 싶다. 공무원 늘리고 비정규직을 정규직으로 승격하고 최저임금 올리고 자유 시장 경제를 역행하는 것이 아닌가 싶다.

남미 중 대표적으로 몰락해가는 베네수엘라 경우 약 3000만 인구에 약 300만 공무원을 들 수 있다. 경제몰락으로 주 4일 근무하다가 2일 근무한다니 그것을 닮아가려 하는가.

이 나라가 정상적이 아닌 거꾸로 돌아간다면 국가안보가 더 위험해진다. 위험에 처한 자유대한 국가안보는 누가 지켜야 하는가?

좌파든 우파든 대한민국 안보는 우리가 지켜야 한다. 좌파라고 무조건 우파정부의 전통을 거꾸로 밀고 나간다면 국가는 위험에 처한다.

만약 좌파라 해서 자유민주주의와 자유시장경제를 거꾸로 인민민주주의와 인민경제로 지향한다면 자유민주의 국가의 존립이 어려워진다. 태극기가 짓밟히는 세상은 오지 말아야 한다. 태극기 아래 똘똘 뭉쳐 국가안보를 지켜내자.

(2017. 8.)

죽는 줄 모르고 맷집 믿지 마라

　무능한 흥부는 25명 대식구를 먹여 살릴 일감이 없었다. 무의도식하다가 남의 죗값을 대신 매맞아주는 일을 했다. 곤장 100대를 맞아주고 엽전 30냥을 받아 식구를 먹였다는 이야기다. 홍수환도 맷집의 덕으로 WBA 팬텀급 챔피언이 되었다. 세계적인 무하마드 알리도 맷집이 좋아서 버티어 타이틀전을 방어해냈다.

　비운의 복서(1982년, 故 김득구의 마지막 경기)가 생각난다. 경기 전 전문가들은 김득구가 초반에 KO패 할 거라 예상했다. 맨시니는 24승(19KO) 1패라는 화려한 전적과 '붐붐'이라는 별명이 말해주듯 맹렬한 인파이팅으로 세계를 제패한 미국의 떠오르는 희망이었고, 김득구는 별다른 주 무기가 없는 무명의 동양 챔피언이었기 때문이다.

　의외로 김득구가 한 치도 물러서지 않는 전면전을 펼쳐 10회가 지날 때까지는 우세했다. 그러나 11회부터 맨시니 역시 김득구 못

지않은 근성으로 맞받아치기 시작해서 14회가 시작되자 김득구가 링 중앙에서 훅 한 방에 쓰러졌다. 그는 일어나지 못하고 뇌사상태에 빠진 것이다. 충격받은 어머니도 자살하고 말았다.

맷집이 좋은 자는 살아남고 맷집이 약하면 죽고 마는 것이 세상 이치인가 보다. 우리 대한민국은 맷집이 좋은 편일까?

역사적으로 보면 이 땅은 외세가 짓밟고 갔다. 청나라·몽고·중국·일본 등 이 땅을 짓밟았다. 우리나라는 맷집이 좋아서 살아 났을까? 아니다 서양(미국)의 도움으로 해방이 되고 반 토막이라도 자유대한으로 크게 발전하였다.

그러나 공산 북쪽이 6·25전쟁 뒤 정전하고도 계속 도발해오고 있다. 대한민국은 이렇게도 맷집이 튼튼하고 좋아서 버티는가?

창랑호 납북사건(1958. 2. 16.), 당포함 침몰사건(1967. 1. 19.) 김신조 청와대 습격사건(1968. 1. 21.), 이승복 어린이사건(1968년) 대한항공 국적기 납북사건(1969. 12. 11.), 판문점 도끼만행사건(1976. 8. 18.), 미얀마 아웅산 폭탄테러사건(1983.10.8.), KAL 폭파사건(1987. 11. 29.), 강릉 무장공비 침투사건(1996. 9. 18.) 신상옥 최은희 부부 납치사건(1978년), 제 1,2 연평해전(1999. 6. 15.), 금강산 관광객 피격사건(2008. 7. 11.), 천안함 폭침사건(2010. 3. 26.), 연평도 포격사건(2010. 11. 23.) 등 수없이 두들겨 맞았다.

수없이 두들겨 맞다 못해 DJ, 노무현은 돈 퍼주고 먹을 것 퍼주고 매맞기를 잠시 면한 때도 있었다. 그러나 우리가 버틸 수 있게 한 것은 자유우방의 버팀목이 있었기 때문이다. 미국과 세계는 북한이 핵을 포기하도록 총 압박하는데 우리는 평창올림픽 구실로 북한을 초청하여 압박을 완화시켜 주고 있다. 햇볕 후예가 정권을 잡았다고 다시 잘못된 과거를 재현할까 심히 두렵다. 링 위에 선 김득구처럼 핵이란 혹 한방으로 자유대한이 사라질 수 있을 것만 같아 심히 염려된다.

이제까지는 버틸만한 맷집을 자랑하고 자유우방의 버팀목잡고 잘 지내왔으나 이제는 내부적으로 허약해질 대로 허약해진 체질로 변해 더 버티기가 힘들 것만 같다.

'준비 없는 전쟁은 막을 수 없다.'는 것을 알라. "평화를 원하거든 전쟁을 준비하라" 명언을 소홀히 여기지 말고 이를 대비하라고 주문한다.

(2018.)

이런 몰골로 후세에게 무엇을 물려주나

이런 말이 있다. 도둑질만 하던 아버지가 아들에게 '너는 도둑질 하지 말고 살아다오.'라고 유언까지 하고 죽었는데도 그 자식은 역시 도둑질하더라는 말이 있다. 그래서 자식은 부모를 닮는다고 '부전자전'이라는 속담이 생기지 않았을까.

나는 아이들이 말하는 꼴통세대의 본이 될 수 없는 노인의 한 사람이다. 지금 우리나라는 어른 세대가 본이 되기는커녕 썩은 된장이 냄비에서 부글부글 끓어 냄새가 진동하는 꼴이다. 이를 우리들 후세인 아이들에게 몽땅 보여주고 있으니 어찌하랴.

정치·경제·사회 한 곳도 정상적으로 굴러가는 곳이 보이지 않는다. 그중에도 정치가 불의의 선도역할을 하는 것 같다.

국가시책을 잘 펼쳐나가는 대통령을 18대 대통령 취임하자마자 저들 입맛에 맞지 않는다고 끌어내리려고 모략 선동하다가 거리에 촛불로 인민재판을 하듯 하는 과정의 몇몇 장면을 보면 우리 어른들의 이런 몰골로 후세들에게 어떻게 물려주나 싶다.

촛불시위를 선동한 자가 '탄핵이 안 되면 혁명밖에 없다'며 그들을 부추기지 않았는가. 좌편향으로 달리는 나라를 바로잡으려 정치 행위를 하려는 박 대통령을 김정은보다 더 적대시하여 그 자리에서 끌어내리려고 국회, 언론, 사법, 교육, 노조, 문화계까지 온갖 권모술수를 해서 불법파면 선고하여 영창에까지 보내놓고 승리했다고 쾌재를 부르는 저 꼴을 후세들에게 무엇을 보고 배우게 하려는가? 대통령으로 세 번째 영창을 보낸 이 나라, 국제적으로 국격이 얼마나 추락했는지 아는가.

권력의 주역들이 자유민주주의 시장경제 법치국가란 나라에서 민주주의가 인민민주주의를 방불케 촛불시위를 민의라고 평가하는 삐뚤어진 사고, '쇠고기 먹으면 뇌 송송' 거짓 선동 촛불을 경험하고도 민의라며 망국적으로 멀쩡한 대통령을 파면하지 않았는가.

우리가 학교에서 대한민국헌법 84조 "대통령은 내란 또는 외환의 죄를 범한 경우를 제외하고는 재직 중 형사상의 소추를 받지 아니한다."라고 가르쳐놓고 법치국가 기본법인 헌법을 뭉개버리고 후세에게 무어라고 변명하려는가.

3월 10일 헌법재판소의 탄핵 전문에 헌법 84조 위반 내용은 찾아볼래야 찾아볼 수 없었다. 농단이란 언론의 선동이 촛불을 부추겨 탄핵을 뒷받침하여 탄핵 판결을 했다. 이는 법치국가의 헌법 적용을 인민재판식으로 해도 옳은가. 이 판결은 촛불이 헌법상 위법이란 말이다.

3월 광화문 촛불시위는 천인공노할 광경이었다. 주최가 누구인가? 촛불집회를 이끌고 있는 단체는 '박근혜 정권 퇴진 비상국민행동본부 (전신 민중총궐기투쟁본부)'다. 촛불집회 주도 세력들이 민주노총, 전교조, 전국농민총연맹, 한국진보연대, 참여연대, 과거 이적 판결을 받은 범민련이다. 이들 단체는 좌파 종북세력으로 각인된 자들로 이룬 단체다.

촛불에 앞서 박 대통령을 국회의원이란 자가 누드풍자 사진전을 하고, 국회의원 표창원은 〈더러운 잠〉에서 박 대통령을 나체 풍자를 하는 등 촛불에서 목이 잘린 것, 축구공으로, 오랏줄에 묶어놓고 온갖 비난하는 저주의 조형물과 혐오스런 시설물들 노출시켰다. 이게 표현의 자유란 말이 될까. 박 대통령 목을 자른 후 피 흘리는 그 장면까지 표현의 자유란 말인가. 아이들은 박 대통령 얼굴이 그려진 풍선 모양의 축구공을 차며 놀았다. 아이가 그 축구공을 발로 뻥 차자 부모가 다가가서 "우리 아들 더 세게 팍 차라'고 다그쳤다. 부모는 손뼉을 치며 박장대소 했다.

왜 블랙리스트가 존재해야만 하는지에 대한 역설을 광화문 광장 촛불집회에서 고스란히 보여주고 있다. 이건 표현의 자유가 아니다. 표현의 자유를 가장한 인간 말살 현장이다. 마녀사냥과 극악과 저주, 분노의 표현물이었다.

주최자들은 광화문 집회 때마다 술판까지 벌이는가 하면 박근혜 장례식(제8차 여수시국대회)을 거행했다.

3월 4일 광주 금남로에서 있었다는 촛불집회현장에서 벌어졌던 끔찍한 퍼포먼스 장면이다. 그 현장에 남녀노소 어린아이 함께 했다. 어른들이 어린 학생을 불러내어 마구잡이로 짓밟게 하였다. 국회의원이란 자가 대통령을 누드화 사진을 전시하고. 어른들이 어린아이들을 보는데 살아있는 대통령을 퍼포먼스로 응징하며 저들은 술판을 벌이고 상여 메고 장사지내고 아이들에게 사진을 짓밟게 하는 작태 등은 고금동서에 없었던 일이다.

이런 바탕 위에 정권을 쟁취한들 정의롭게 잘한다 할 수 있을까. '부모는 자식의 거울'이 되어야 할 텐데 어른들이 이런 몰골의 저주를 후세들에게 보여주어 그들에게 무엇을 기대할 수 있을까.

이는 역사적인 신의 과오요 어른들의 저주다. 이를 몰라본 하나님의 실수라고 원망도 해본다. 그래서 우리의 후대가 너무나 걱정되어 밤잠을 설친다.

(2017. 4.)

이 나라 위기를 어찌하나

북에는 핵이 땅을 흔들고 남에는 지진이 흔들어댄다. 핵폭발 소식이 꽃노래로 들리는가. 사드 배치를 결사반대한다.

간첩이 탈북자로 위장하여 숨어들고 핵보다 정권만 잡으려는 무리 속에 간첩의 마음이 숨어든다. 국회는 국민 삶에 관한 법률안은 안중에 없고 정권야욕에 혈안이 돼있다. 정권만 잡으려는 욕심에 안보 위기는 강 건너 불구경하듯 한다. 귀족 노조는 돈 더 달라고 파업을 자행하니 공장은 해외로 달아나고 일할 곳만 줄어 실업자만 늘어난다.

복지예산만 늘리는 선심공세 펼치려는 국회가 한심하다. 北核·경제 위기 속 국가 리더십 공백 상태를 만들려고 적국에 승낙받는 역적사태는 입 다물고, 청와대 관계된 최순실 국내사건만 부각시켜 대통령만 흔들어댄다. 적과 아군을 구분 못하고 국가를 핵 앞에 발가벗겨서라도 집권만 하겠다고 발버둥친다.

다음 대선에 정권만 잡겠다고, 나라가 망해도 좋다는 정치인, 회사가 망해도 자기 배만 두둑하면 된다는 귀족노조, 이것이 대한민국 오늘의 민낯이다.

군인들의 정신 상태를 보자. 군 간부 64% '北 적대시', 병사들은 47%에 불과하다는 지상보도를 볼 때 이것이 우리국군이 맞는가 싶다. 군병사중 '45.1%가 국방의무에 부정적' 답변이 있었다니 (지난해 한국국방연구원이 한국리서치에 의뢰해 부사관 이상 군 간부 1620명, 병사 1928명을 대상으로 한 통계) 병사들의 인식이 이래서 국방을 안심하고 맡길 수 있는가. 이런 정신상태니까 군 침투 간첩 92%가 위장 탈북자라고 한다.

김정은이 5차 핵실험을 단행한 후 박근혜 대통령은 '김정은의 정신상태는 통제 불능'이라 말했다. 언론들도 김정은을 '핵 광인(狂人)', 그리고 우리는 그 앞에 '발가벗고 서 있는 꼴'이라며 현 상황을 처절하게 묘사했다.

그런데도 국회 야당이란 자들은 사드배치를 반대하고 설치 지역을 성산포대에서 성주골프장 김천 쪽으로 정함에 김천주민까지 일어나 반대 데모하고 원불교 종교인이라는 자들도 반대 데모한다니 대한민국을 북한에 바치자는 것인지 알 수 없다.

한미, 血盟이란 말보다 양국 國益 절충이 중요하며, 미중 갈등 시대 버텨낼 인내와 우리 국력을 키워야 한다.

우리나라는 세계지도에서 36년간 사라졌다가 돌아왔다. 중부 유럽 대국이던 폴란드도 123년간 사라졌다가 나라를 되찾았다. 폴란드 멸망 원인은 국론 분열과 국제정세 오판이었다. 우리의 현실은 어떠한가.

미군 최고위 담당자가 북핵 실전 배치를 기정 사실화한 것이다. 북핵을 폐기시키려고 북한 정권을 망하게 할 수는 없다는 중국이 있는 한 북핵은 막을 수 없다.

북이 새로 개발한다는 로켓(대륙간탄도탄)도 한두 번 실패할지는 몰라도 결국 성공할 것이고, 위협적인 SLBM(잠수함 발사탄도미사일)을 3~4기 실은 신형 잠수함도 결국 우리 눈앞에 등장할 것이다. 한·미 당국이 뭐라고 말하든 지금까지의 북핵 폐기시도는 전부 실패했다고 말했다.

미국은 '비핵화란' 정책이 달린 문제이지만 한국은 생존이 달린 문제이다. 과거나 현재 위기를 위기로 모른다면 끝장이다. 환자의 병을 조기 발견 수술하지 못한다면 결과가 명확하지 않은가.

그런데도 노조는 집단 파업하고, 다수 야당국회는 정부를 불신하고, 급박한 핵 방어무기 무해하다는 사드 설치를 야당과 그곳 주민들이 무조건 반대하고, 알 만한 지식인은 입 다물고, 고삐 풀린 언론은 선동하고 이래서야 국가가 유지될 수 있을까.

이 나라의 위기를 어찌해야 하나? 속수무책으로 천우신조(天佑

神助)만 기다려서 해결될 일이 아니다. 대한민국은 우리가 지켜야 한다. 국민이여 유비무환(有備無患) 작전을 싫어하는 자는 대한민국을 떠나게 하자. 그래야만 대한민국이 지구상에 남게 될 것이다. 대한민국이여, 조국이여 영원하라!

(2016. 10.)

歷史의 心腸에 칼을 꽂지 마라

歷史의 心腸에 칼을 꽂지 말라/ 無知와 가난의 아픔만큼/ 더 큰 슬픈 일은 없다.

그러나 우리의 어버이들/가난해도 正直했고 배고파도 義로웠다 /굶주려도 사랑했고 無知해도 義理가 있었다.

그런 우리들은/ 無知의 遺産을 원망말자 가난의 遺産을 嘆하지말자

그런데도/ 無知의 恨이 얼마나 크기에/ 역사를 팔아 副棺斬屍노리는가?

禽獸가 아닌 인간은/ 不義의 財物로 배부를 때 보다/ 굶주릴지언정 義로 숨 쉬기를 좋아한다.

양반 勢道에 짓밟히면서 正直과 眞實을 사랑하신 祖上/ 그런 氣象이 있었기에 오늘 우리가 있다.

來日이 있는 자 福이 있고, 오늘을 누리는 자 福이 있다/ 歷史를 더듬어 設計를 하고 希望을 꿈꾸며 來日에 살자

얼마나 無知에 恨이 되고 가난의 重病이 들었기에/ 歷史를 거슬러 榮華를 求하는가?

歷史를 歷史에 두자 歷史의 心腸에 칼을 꽂지 말자

위 글을 읽고 나니 먼 역사뿐만 아니라 현재도 조상의 심장에 칼 꽂는 일이 일어나고 있음을 알겠다.

지난해는 朴正熙 전 대통령 묘소 '쇠말뚝' 4700개 박혔다고 논란이 있었다. 역사의 심장에 칼 꽂는 일이 아닌가?

그 이전 청국에서 러시아에서 우리역사의 심장에 칼을 꽂아 왔고, 또 日帝는 삼각산, 백운대 정상, 명산대천에 쇠말뚝 박았다니 우리역사심장에 칼 꽂는 일 아닌가?

가까운 북한은 수없이 남한역사심장에 칼을 꽂아왔다.

이 나라 정치권력은 해방된 역사, 건국의 역사, 빈곤의 역사, 그 이외 수많은 사건사고마다 역사의 심장에 칼을 꽂아 오지 않았던가? 나부터 되돌아보며 반성한다.

義로 숨 쉬기를 좋아하는 우리 祖上, 正直과 眞實을 사랑하시는 우리 祖上들 "그 역사의 심장에 칼 꽂는 일"은 하지 말아야 될 것 아닌가! 이제부터 조상 앞에 죄짓지 말고 미래로 전진하자.

"歷史의 心腸에 칼을 꽂지 말라" 시문을 읽고 가슴 아프게 쓰다.

충효(忠孝)는 살아있는가

　　본래 우리나라는 백의민족(白衣民族)으로 충효(忠孝)의 나라였다. 그런 나라에서 충효란 말을 들어본 지 오래 되었다. 충(忠)이 무어냐고 물어온다면 사육신(死六臣) 묘소에 가서 물어보라 하고 싶고, 효(孝)가 무어냐고 물어온다면 인당수에 가서 물어보라 하고 싶다.

　　어느 날 친지로부터 '효문화 뿌리축제'를 대전에서 개최하니 참석해달라는 전갈을 받았다. 그에게 이 땅에 아직도 효문화가 살아 있냐고 반문했다. 그가 "백문이 불여일견이니 와서 보라." 했다.

　　9월 23일 대전에 있는 뿌리공원을 찾아갔다. 마치 반세기 전으로 돌아가는 것 같은 느낌이 들었다. 사라져버린 효를 얼마나 그리워했는지 전국 각지에서 꾸역꾸역 모여들어 인산인해를 이루었다. 나도 그 군중 속에서 함께 걸었다. 씨족끼리 도포에 의관을 갖추고 선두에서는 씨족깃발을 높이 들고 씨족호칭을 높이 외치며 보무당당 행진하여 입장했다.

옛날 조상들 시대에 승리한 장수가 돌아오는 깃발처럼 보였다. 씨족사회가 붕괴되고 효문화가 사라져 씨족 뿌리가 박살나서 박물관에서나 찾아볼 수밖에 없는 현실인데도 아직도 효 정신이 어느 한구석에 살아 숨 쉬고 있었다는 것만도 감격하여 환호하는 유림들의 행렬대열에 끼었다.

군중대열을 헤쳐 나가 처음 찾아간 곳이 '족보박물관'이다. 효가 숨 쉬는 곳이기도 하다. 수많은 성씨 족보가 후손들을 기다린다. 지금 세대에 있어 젊은이들이 족보를 잊어버린 지 오래기에 찾아주는 이가 뜸한 것 같았다. 효의 뿌리는 조상의 뿌리에서 출발하기 때문에 족보의 박물관이 그곳에 있는 것 같았다.

다음 씨족의 조형물이 있는 동산에 올랐다. 오늘 새로 새워진 조형물 88기 포함 총 222기의 성씨의 조형물이 동산을 가득 메웠다. 한국 전체 성씨는 못 되어도 한국의 대표적인 성씨가 모인 듯했다. (2015년 성씨통계 5,582개, 한자성씨 1507개, 본관 한자성씨 858개 97.8%) 조상의 얼이 조각된 크고 작은 조형물이 각각의 자기 성씨를 자랑했다. 안동김씨, 경주이씨, 밀양박씨… 조형물 앞에 10여 명씩 도란도란 모여앉아 선대들의 자랑거리를 담소하고 있다. 잘 났든 못났든 조상의 뿌리가 있어 여기 모여 기리는 마음으로 모두 같이 즐기고 있었다.

"뿌리 깊은 나무는 바람에 흔들리지 않기에 그 꽃이 아름답고 그 열매가 성하도다. 샘이 깊은 물은 가뭄에도 마르지 않기에 흘러서 내가 되고 바다에 이르도다."라는 용비어천가가 생각났다.

忠의 말살은 김재규가 선봉장이었고, 孝의 말살은 김대중 노무현이 선봉장이었다. 그래서 충효는 박물관에서나 찾아볼 수밖에 없다. 효의 근원은 씨족의 뿌리에 있으며 그 뿌리가 병들고 흔들리기 시작은 반세기 전으로 생각된다.

첫째, 분단에서 원인을 찾을 수 있다. 북쪽에서는 공산주의 사회가 되어 '피는 물보다 진하다.'는 속담을 깨고 '피보다 당성이 우선한다.'라며 씨족 관념을 없애버렸다. 공산주의는 다 함께 잘 먹고 잘 사는 이상주의라고 거짓 선동에 속기만 했다.

둘째, 남한사회도 빨치산으로부터 뿌리가 병들기 시작했다. 그러던 중에 출생근원이 분명하지 않은 거짓말 지도자가 나타나더니 북한제도를 닮아 '호주제 폐지'를 시작했다. 또 수많은 어미 중 끝 어미에서 출생한 지도자가 나타나서 호주제 폐지를 완성 시켜 한국의 씨족은 뿌리 째 크게 병들고 말았다.

셋째, 교육으로부터 뿌리가 흔들렸다. 전교조가 어린뿌리를 흔들어놓았다. 수백 개 대학이 있어도 '국가와 인류사회 발전에 기여할 지도자적 인격을 도야하는 곳'이 아니라 단순 취업관문으로 전락하고 말았다.

넷째, 역사적으로 뿌리를 흔들고 병들어 놓았다. 역사를 이념적으로 왜곡시켜 빨치산 이념을 민주화로 둔갑시켜 버렸다.

다섯째, 사회적으로 뿌리가 흔들리고 병들었다. 고령화, 결혼 기피, 저출산, 개인주의, 이혼 증가, 다문화, 1인 가구 등 효 문화는 찾을 수 없게 되었다. 청년고용절벽, 빈곤으로 사회적 고립 등으로 혼밥(혼자 밥 먹기) 혼술(혼자 술 마시기) 혼놀(혼자 놀기) 신조어가 나올 정도로 독신화되었다.

1인 가구 500 만인데 여기도 골드족(전문직), 산업예비군(취업준비생), 불안한 독신자(이혼, 기러기가족, 중장년 실업) 실버세대 등의 호칭이 등장하도록 뿌리가 망해졌다.

다문화관련 인구가 200만 명시대로 '단일민족'이란 옛말이다. 한자성이 아니고 새로운 성씨가 4075개 (통계참조)가 있다니 단일민족이란 옛말이 되었다. 고령화, 갈등 불화 이혼 등으로 효는 머지않아 박물관에서나 구경할 지경이 되었다.

온통 뿌리가 병들고 흔들리는 지경이지만 '대전 효 문화 뿌리축제'는 도심 속 아름다운 자연경관을 자랑하며 자신의 뿌리를 찾아보는 충효의 산 교육장으로 기대한다. 국내 유일의 성씨를 주제로 조성된 뿌리공원에서 조상의 얼을 생각해보고 느끼면서 나의 뿌리를 찾고 우리 전통의 효를 체험하는 축제가 되었으면 좋겠다. 전국 문중에서 보낸 족보로 한국족보박물관이 있는데 조상의 얼을 체험할 수 있는 공간인 동시에 종친 간 단합과 만남의 장소로도 각광 받게 되었으면 한다.

대전 효문화 뿌리축제는 할아버지, 할머니, 엄마, 아빠, 아이들 모두가 참여하여 가족의 소중함과 효의 중요성을 느낄 전통문화에서 점점 소원해지는 현실에서 조상의 지혜를 배울 수 있는 계기가 될 것이다.

용비어천가 첫 구절같이 자유민주의 뿌리가 견고하게 박혀 대한민국이란 커다란 나무 가지에 꽃이 피고 열매가 주렁주렁 달리듯이 '정통성 효 문화 뿌리'가 다시 부활하기를 기대해본다.

(2016. 9. 23.)

6부

아내와 함께 걸어온
60년 세월

정의의 등불이 꺼져간다

나라가 온통 북향으로 달리는데 하나님의 종 목사라면 그 길이
잘못된 길이라는 것을 신도에게 알려주어야 하는데 그 메시지가
없으니 '소금과 빛'이란 정의의 교회 등불이 꺼져가는 것 아닌가
싶다.

6·25전란에 북한에서 탈출해서 세워진 교회가 영락교회다. 나
는 월남한 사람이 아니지만 영락교회에 출석한지 오래되었다.

공산주의자들이 교회를 박해하여 수많은 목사가 탈출하여 남한
에서 많은 교회를 세웠다. 그중에 영락교회가 반공의 표준이 될
것으로 믿고 나는 영락교인이 되었다.

교회를 수십 년간 다녀도 목사들이 나라의 잘못을 보면 무엇이
잘못인지 지적하여 교인에게 알리는 목사는 단 한 사람밖에 기억
나지 않는다. 많은 목사들이 '신앙 양심의 자유'란 장막 뒤에 숨어
안도하고 있지 않나 싶다. 나라의 잘못이 안보에 큰 위협이 되기

때문이다.

바른 말을 한 사람은 박 모 목사다. 목사께서는 국가의 잘못을 지적하다가 축출당한 것으로 알고 있다. 교회의 소명인 '소금과 빛'의 역할을 다하다가 당한 것이다.

오늘날 교회는 소수를 제하고 '소금과 빛'의 사명을 잃어가고 있다. 교인이면 불의와 악을 보고 침묵하는 것이 옳을까? 크게 외쳐 알려야 옳을까?

디트리히 본 회퍼는 그는 성경에 기반을 둔 확고한 신학자 목사로서, 남들보다 몇 걸음 앞서 미래를 내다보는 선지자로서, 유대인들을 구하기 위해 목숨 바쳐 행동하는 양심가요, 순교자였다.

히틀러가 제국의 부활을 꿈꾸던 독일 국민의 마음을 유혹해 유럽에서 유대인들을 몰살시키려는 음모를 꾸밀 때, 히틀러 암살 음모에 가담했다가 1945년 4월 9일 플로센뷔르크 강제수용소에서 39살에 처형당한 순교자였다.

그는 "악을 보고도 침묵하는 것은 그 자체가 악이다. 하나님은 그런 우리를 죄 없다 하지 않으실 것이다. 악에 맞서 목소리를 내지 않는 것은 악에 동의한다고 말하는 것이고, 악에 맞서 행동에 나서지 않는 것은 악을 위해 행동하는 것이다"라고 단호하게 말했다.

고대 그리스의 철학자 플라톤은 "정치를 외면한 가장 큰 대가는 가장 서질스러운 인간들에게 지배당한다."라고 했다.

알버트 아인슈타인도 "세상은 악을 행하는 자들 때문에 파괴되는 것이 아니라 악을 보고도 아무 것도 하지 않는 사람들 때문에 파괴될 것이다"라고 했으며, 또한 "불의가 법이 될 때 국민 저항은 의무가 된다."라고 했다.

독일의 정치철학자 한나 아렌트는 그의 저서 ≪예루살렘의 아이히만≫에서 '악의 평범성'이라는 유명한 말을 했다. '악의 평범성'이란 '모든 사람들이 당연하게 여기고 평범하게 행하는 일이 악이 될 수 있다'는 것이다. 홀로코스트와 같은 역사 속 악행은 광신자나 반사회성 인격 장애자들이 아니라, 국가에 순응하며 자신들의 행동을 보통이라고 여기게 되는 평범한 사람들에 의해 행해진다고 했다.

해외유명인의 역사적 사실뿐만 아니라 우리나라 고 김대중 대통령도 '침묵하는 양심은 악의 편'이라고 했으며, 고 노무현 대통령도 그의 저서 ≪행동하지 않는 양심≫에서 "행동하지 않는 양심은 악의 편이다"라고 했다. 말대로 행했는가는 의문이지만.

보스턴 대학살 기념관 밖에 있는 비석에 새겨진 그 유명한 〈방관과 침묵의 대가〉 '마르틴 니묄러'의 시를 떠올리게 한다.

나치는 처음에 공산주의자를 숙청했다
나는 공산주의자가 아니기에 침묵했다

그 다음에 유대인을 숙청했다

나는 유대인이 아니기에 침묵했다

그 다음에 노동조합원을 숙청했다

나는 노동조합원이 아니기에 침묵했다

그 다음에 카톨릭교도를 숙청했다

나는 개신교도였기에 침묵했다

마지막에 그들이 내게 왔을 때

나를 위해 말해 줄 이가 아무도 남아 있지 않았다

이 시비(詩碑)를 도심에 세운 것은 '침묵은 잠시 침묵자의 통행증이지만, 결국 침묵자의 묘지명이 될 것'이라는 점을 시시각각 사람들에게 일깨워주기 위함이다.

이런 명언들을 생각할 때 오늘날 이 나라 수많은 악을 보고도 침묵하는 지식인, 종교인, 목사들이 너무나 많은 것 같다.

"미친 자에게 운전대를 맡길 수 없다(본회퍼)"라는 명언의 깃발을 앞세우고 지난 8·15뿐만 아니라 광화문에서 계속 대통령의 잘못에 대하여 지적하며(사랑제일교회 전 모 목사) 집회 기도하다가 구속당했다. 그러나 신앙자유란 진리가 살아있어 석방되었다.

교회 목사, 신도들이여! 악과 불의를 보거든 입 다물지 말고 교인들에게 알려줄 의무가 있다. 교회나 자신의 신분의 위해가 두려워 침묵할 것만 아니다. '진리가 너희를 자유케 하리라(요8:32)'는 말씀을 익히 알고, 하나님 말씀을 교육까지 받은 목사들이 침묵으로 '입이 악의 편'에 머물 수 있어야 하겠는가? 지금 우리나라에선 친중, 친북, 종북 좌파들이 사회주의로 전환하려는 것을 뻔히 보면서도 이를 방관하고 침묵한다면 대가는 실로 끔찍할 것이다.

지식인 사회지도자들이여! '악이 득세하고 선이 침몰'하는 나라를 보고도 침묵하고 언제까지 악의 그늘에서 머물려 합니까? 교회목사들이여 꺼져가는 정의의 등불을 밝히십시오. 지식인과 정치인, 사회 리더들이여 침묵이 중죄임을 깨닫고 분기탱천하여 다 함께 일어나 '침묵하는 양심'에서 벗어나십시오. 그래야 이 나라가 다시 융성할 수 있습니다.

(2020. 12.)

현충일의 분노

해마다 6 · 25가 돌아오며 전사한 형의 얼굴이 떠오른다. 우리 오형제 중 셋째로 가장 잘생기고 영특하다는 어머님의 말씀같이 우리 형제 중 가장 으뜸이었다.

그런 형이 6 · 25전쟁에서 전사하였다니 온 식구가 통탄할 악몽이었다. 둘째형도 전투경찰로 공비토벌 갔다가 대창에 찔려 부상당하고 넷째형도 중부전선 전투에서 부상당해 제대했다. 나까지 장교로 복무했으니 넷이 국방에 몸 바친 군인집안이다.

누군가 '전쟁은 인류에게 악몽이다' 했는데 6 · 25전쟁은 대한민국은 물론 우리집안에 악몽을 드리워 주었다.

형제 중에서 제일 잘났다는 형이 전사한 후 그 유해를 찾지 못하고 68회 6 · 25를 맞게 되니 심히 마음 아프다. 형의 흔적은 현충탑(20판8번 207호 채석열) 안에 이름 석 자만 남아있을 뿐이다.

그 이름 앞에서 '용감하게 조국을 위해 산화하신 형님 지금은 이름 모를 산야에서 계시온지 유골이라도 돌아와 주소서. 명복을 빕니다.' 하고 돌아선다.

금년에도 국방부 유해발굴감식단장으로부터 "현재까지 발굴된 유해와는 일치하지 않았음을 알려드립니다." 즉 못 찾았다는 편지 한 장뿐이다. 그래서 6월은 나라뿐만 아니라 모두가 슬픈 달이다. 금년 현충일 행사를 볼 때 지하에 계신 형님뿐만 아니라 영형들이 분노하지 않을까 생각하게 된다.

해마다 현충일 노래 〈거래와 나라 위해 목숨 바치니/ 그 정성 영원히 조국 지키네. 조국의 산하여 용사를 잠재우소서. 충혼은 영원히 겨레 가슴에/임들은 불멸하는 민족의 상징/날이 갈수록 아아! 그 충성 새로워져라〉 불러 고혼을 위로하고 잠재웠다.

금년에는 '늙은 군인의 노래'〈 나 태어나 이 강산에 군인이 되어 / 꽃피고 눈 내리기 어언 삼십 년/ 무엇을 하였느냐 무엇을 바라느냐/ 나 죽어 이 흙속에 묻히면 그만이지/ (후렴) 아 다시 못 올 흘러간 내 청춘/ 푸른 옷에 실려 간 꽃다운 이 내 청춘 (1절) 〉를 불렀다니 영형들이 얼마나 노하셨을까.

저들을 죽인 원수의 3대까지 사과 한마디 없는 자를 껴안고 칭찬하고 우대하는 꼴을 볼 때 지하에서 얼마나 원통했을까.

아직도 6·25 참전용사들의 대접이 놀러가던 학생들의 죽음보다 못하고 반정부투쟁하다 죽어간 자나 부상 당한 이들보다도 푸

대접이라니 국방을 하다죽은 영혼이 얼마나 서러워할까.

아마 자유민주주의가 조종을 울린다는 뉴스도 있었다. 6·25 는 내전뿐만 아니라 공산당 무리가 자유민주주의를 쳐부수려고 한 남침에서 몸을 바쳐 막아낸 영혼에게 또다시 근심을 주어서야 안 되겠다는 마음이다.

4·27, 6·10 두 회담의 긍정적 측면을 기대는 해보겠지만 믿을 수 없는 김정은이다. 그 입에서 '비핵화'란 말뿐만 아니라 '핵 폐기'한다는 말은 듣지 못했다. 그런데도 금방 통일이라도 되는 것처럼 '평화 무드'에 들떠서는 안 된다. 해방 이후 지금까지 속아온 우리가 경계를 늦춘다면 후환이 따른다.

현충일을 지난해 같지 않게 태극기 집회에서 경고하는데도 한때 금지했던 '늙은 군인의 노래'(푸른 옷에 실려 간 꽃다운 이 내 청춘)를 불러 군의 사기를 떨어뜨리게 하는 것 아닌가.

또한 영형들의 영혼을 달래기커녕 축제마냥 행사가 진행되어 태극기 시민을 비웃는 듯도 하다. 우리가 그렇게 느껴지는데 지하에 계신 영형들은 어찌 통곡하지 않겠는가. '평화를 원하거든 전쟁을 준비하라.' 그런 유비무환 정신으로 국가 안보를 지켜가자.

(2018.)

아름다운 세상은 없는 건가?

'꽃·미녀 그리고 아름다운 마음' 셋을 들어서 '아름다운 세상'이라고 쓴 수필을 읽고 공감했다. 그러나 실상은 세상이 아름답지 않다. 필자는 세상이 너무나 아름답지 못해 지극히 작은 한 부분만 보고 '아름다운 세상'이라 하지 않았을까.

세상은 아름답기보다 너무나 추하고 불안하다. 불안 속에 살며 불안의 면면들을 바라보면 아름다운 세상이 보이지 않는다.

불가에서 세상을 아비규환(阿鼻叫喚)이라 하지 않았던가. 4월 16일 세월(世越)호 전복사고를 바라볼 때 이를 보고 아비규환이라 하지 않을 수 없으며 대표적인 안전불감증의 노출이다.

고등학교 2년 어린 학생 수백 명을 수장시킨 참사는 어른들의 책임임을 통감하지 않을 수 없다. 참사의 뿌리는 불의에서 찾을 수밖에 없는 것 같다. 인간이 스스로 하나님 위치에서(아해=야훼=하나님) 놀아나려는 사기성에 깊게 뿌리가 박혀있기 때문이다.

'죄를 깨달아 한번 구원받으면 그 다음부터는 육신의 죄는 죄가 되지 않는다.'라는 교리의 주인공 구원파 유병언(73세) 씨가 신출 귀몰하게 원격 배후 조종한 것으로 본다.

1979년 주식회사 '세모'(성서의 '모세' 글자 바꿈) 삼각지 지역에 서, 청해진해운의 최대주 천해지(天海地)는 하늘·바다·땅을 합친 단어로 모두 종교라는 거짓 뿌리에서 시작된 것 아닌가 싶다.

전두환 정권 말기 27년 전 오대양 사건의 망령이 되살아난 것 아닌가. 여름 더위에 공장 천장에서 남녀 32명이 5일간 머물다 집단 자살했다니 상식으로 납득하기 힘든 의문을 남겼다. 이는 구 원파 유병언 전 세모그룹 회장 일가에 막대한 재산 형성과정과 연 관성에 의심을 두고 있다.

"구원파는 유병원 회장이 벌이는 사업이 바로 하나님의 일이기 때문에, 사업에 동참하는 것이 기도요 예배요 구제다."

이것이 교리였다고 주장하는 사람이 있다. 즉 교단이 운영하는 회사에 열심히 일하는 것이 구원받는 길이었다. 이런 수법으로 임 금을 착취하여 부를 형성한 것 아닌가. 세월호 선장의 봉급이 2백 여 만 원대라니…. 세월호 사고는 그 이름 그대로 세상(世)을 초 월(越)하는 대형사고가 아니었던가. 사고는 어른들의 탐욕에서 꽃 같이 자라는 수많은 어린 학생을 수장시킨 일이다.

세월호만 그렇게 만신창일까. 대한민국호가 그런 꼴을 당할까 심히 근심된다. 국내뿐만 아니라 세계 곳곳에서 어느 한 곳이 온전한 곳이 보이지 않은다. 최근 5월 2일 발생한 아프카니스탄 산사태는 천재로서 실종자를 포함 2천 700명을 발굴할 수 없어 '집단무덤'으로 선포했다는 참사 뉴스다.

국내외를 바라보면 평안한 곳이 보이지 않는다. 불안한 세상, 보기 좋은 세상이라 말할 수 없다. 그래서 아름다운 세상이라고 쓴 이는 어느 한 부분만이라도 바라보고 자기 주관대로 그것에 만족하고 아름답다고 하지 않았을까.

나도 남은 생애 가급적이면 아름다운 일부분만이라도 바라보고 아름다운 세상이라 느껴보며 살고 싶다.

(2014. 5.)

전후세대가 나라를 지켜낼는지?

　나는 해방 이후 남로당 횡포와 빨치산 소동 속에 벌벌 떨면서 자랐다. 공비토벌에서 둘째 형이 빨치산 대창에 찔려 제대했고, 6·25전쟁에서 셋째 형을 잃었고, 넷째 형이 전상 당해서 상이병 제대했다. 나는 보현산 능선 전쟁포화 속에 국군의 밥을 지고 날라다 주었고, 적군 속에서 살아남으려고 병신노릇도 했었다. 오형제 중 세 형제가 국방에 임했고, 나 역시 군인으로 오형제 중 네 번째로 국방의 임무를 다했다.

　남로당 횡포, 빨치산 만행, 북괴의 남침, 전쟁을 경험했고 위기를 모면한 실전 교육을 받았다. 그래서 그들의 만행을 조금도 허용할 수 없다.

　나는 자유민주주의 이념으로 철저한 경험으로 무장된 사람이다. 남북이 아직 휴전상태인데 무조건 공산주의 공산당 빨치산 간첩 친북세력은 용납할 마음이 절대로 없다. 그래서 북한 공산주의를 이롭게 하는 데는 쌍수를 들고 반대했다. 휴전이 오래되었다고 휴전이 아닌 것은 아니다. 휴전 63년 북한은 공산주의가 아니라 세습독재 공산주의 공포정치 인권말살 무력위협 패거리다. 오죽했으면 전쟁 때 천만 명이 월남했고, 지금도 죽음을 무릅쓰고 월남해 오고 있을까.

전쟁을 경험한 세대는 얼마나 남아 있을까. 5,6백만 명에 지나지 않을 것으로 보인다.(2015년 연령별 인구통계 참작)

10년 이내 전쟁, 공산당 만행 등에 경험자가 거의 사라지게 될 것이다. 그때 이념과 핵으로 무장된 독재 공산당 북한을 이겨낼 수 있을까. 북은 핵과 미사일을 개발하여 남한을 위협하고 있고 해킹부대를 창설하여 남한을 수없이 공격하고 있다.

이들을 지원한 뿌리가 남아 있다. 미국이 최초 핵시설을 파괴하겠다 할 때 극구 반대한 Y대통령, 북한핵개발에 큰 자금을 지원한 DJ, NO대통령, 해커를 양성하도록 학교 및 교수를 지원한 것은 도둑놈에게 비수를 들려준 것 아닌가.

북한 핵미사일 방어할 사드 배치를 놓고 풋내기 국회의원 6명이 중국학자와 토론하겠다고 갔다 온 국회의원들은 북한을 돕는다는 것을 모르는 전후세대 민낯이다.

중국은 사드 배치를 정부 차원으로 반대한다. 북한핵미사일이 원인인데 이를 외면한 채 반대한다. 그런 나라에 우리나라서도 그들같이 반대하는 국회의원이 건너가 그들의 반대이론을 뒷받침해 주고 왔다. 이는 북한을 지원한 것과 같은 행동이다. 경험 없는 전후세대의 몰골이다.

생각하기 싫다고 위기를 외면하고 외세에만 의존하는 안이한 안보 심리 '안보불감증' 상태가 계속된다면 커다란 환란을 어떻게 면할까.

해방 전후 6·25세대가 모두 떠난 뒤에 전쟁 경험 없이 안이하게 자란 세대들이 이 나라를 일당독재 핵미사일공격을 지켜낼 수 있을는지 심히 걱정이다.

(2016. 8.)

전시작전권 소고

마음속 근심을 녹여 주는 시원한 아침 뉴스다. '전시작전권 무기 연기'라는 뉴스는 가슴을 타들게 하던 노병들의 마음을 놓이게 했다. 6·25를 체험하고도 공산당의 만행을 당해 오던 노병들은 현재 종북 세력들의 난동을 바라보며 국가안보에 대하여 얼마나 노심초사해 왔던가.

밤낮 적화야욕을 꿈꾸는 북한 공산 왕조는 백성을 굶기면서 핵 실험을 감행하고 핵무기를 개발하며 도발을 감행하고 막말 공세까지 마구 퍼붓는데 우리 군은 복무 기간을 단축하며 군 기강을 약화시키고 간첩까지 군정훈교육장에 끌어들이는 사실은 군 기강을 약화시키는 빌미가 되었다. 최근에는 왕따, 살해, 성문란 등 해이해진 군기를 보고서 노병들의 마음이 더 아파하고 있었다.

6·25전쟁으로 폐허된 이 나라 휴전이란 조건부 평화는 고마운 한미연합사 전시 작전통제권을 한미연합사가 갖게 되어 '한국 평

화의 인계 철선'의 역할을 잘해주었기에 오늘까지 수많은 북괴의 침탈도 극복하고 경제발전을 이끌어올 수 있었다. 종북 사람이 대통령이 되더니 '평화의 인계철선'을 주권국가의 '자존심, 자주국방' 구실을 내세워 헌신짝같이 버리지 않았던가.

안보의 취약성을 알고 있는 노병들은 '한미연합사 해체 반대 천만 서명' 운동을 (공동대표 회장예비역대장 김영광) 펼쳐 목표를 달성하였고 이것으로 외교 활동을 전개해왔다.

노무현 전 대통령은 "미국 바짓가랑이에 매달려 가지고… 부끄러운 줄 알아야지, 미국 엉덩이 뒤에 숨어서 형님, 형님 백만 믿겠다. 자기 군대 작전 통제도 제대로 할 수 없는 군대를 만들어 놔놓고 그렇게 별들 달고 거들먹거리고…"라고 하면서 2007년 2월 24일 "전작권 환수는 나라의 주권을 바로 세우는 일이자 자주국방의 핵심이다."라며 미국과 2012년 4월 17일까지 전작권 전환 및 한미연합사 해체를 합의했다.

노무현 전 대통령은 '한국에서도 공산당이 허용될 때라야 비로소 완전한 민주주의가 될 수 있다고 생각한다.' '반미면 어떠냐.' '북핵은 방어용' '국가보안법은 독재 시대의 낡은 유물, 유물은 폐기하고 칼집에 넣어서 박물관에 보내는 것이 좋지 않겠는가?' '북한 붕괴 막는 것이 한국 정부의 전략' '북한이 달라는 대로 줘도 남는 장사' '용산 미군기지는 간섭과 침략과 의존의 상징' 간첩을

민주화 투사로, 맥아더 동상 무단철거를 위한 폭동을 일으켰을 때 '나쁜 역사'라고 지칭하는 말을 함으로써 좌익 폭도들에게 죽창을 들게 하는 힘을 실어주었다.

평택에서 한총련, 범민련 등의 이적단체들이 죽창과 쇠파이프를 앞세운 폭동을 보고도 노무현 정부는 두둔하는 듯한 발언까지 서슴지 않았다. 이런 말을 내뱉는 대통령이 종북 간자가 아니었겠는가.

첫 단추를 잘못 끼웠다. 안보를 위해 2020년까지 67조 원이 소요된다는 투자는 유명무실화되고 안보능력은 향상되지 못하여 1차 연장을 2015년 12월로 연장했다. 자주국방 능력이 핵으로 위협하는 북한을 능가하지 못한 현실을 앞에 놓고 안보불감증 환자나 종북세력들은 안보를 뒷전으로 생각하고 있었다.

이에 정부와 국민이 대미 외교를 전개한 바 시한을 1년 앞두고 2014년 10월 24일 새벽 뉴스에 "북 핵미사일 위협에 대응할 안보환경이 조성될 때"까지 연기하기로 합의했다는 뉴스였다.

이런 기쁜 소식에도 조선조 시절 '사색당파 정치처럼' 정치한다는 사람들이 '군사주권 포기' '대통령 공약 불이행' 등 외치면서 시비를 걸고 있다.

'군사주권'도 '자존심'도 중요하지만 '자존심'이 나라를 지켜주지 않는다. 국방은 생존권이다.

민생과 국익을 외면하는 당론정치의 뿌리는 역사적으로 피해가 컸다. 조선조 사색당파에서 대표적으로 병자호란과 임진외란을 들 수 있다. 병자호란은 당파에 뿌리 둔 자존심으로 인조가 '삼전도의 굴욕'을 당했다. 임진왜란은 일어나기 전 동인과 서인 통신사 1명씩 일본으로 보내 일본을 살피라는 임무를 주었다. 돌아온 통신사는 당파에 따라 말이 달랐다. 당론 고집으로 전쟁 준비를 못해 조선은 쑥대밭이 되었다.

이런 역사적 사실을 외면하고 '전시작전권'을 '군사주권'이라고 선동하는 자들은 대한민국 백성인가? '전작권'이 어디에 있느냐가 아니라 전쟁 억지와 유사시 전승의 보장이다. 한미연합사 존속이 안보상의 불확실성을 줄이는 효과는 의심할 수 없는 사실인데도 이를 부인하는 자들이 종북 세력이 아니겠는가.

지금의 세계는 순전히 혼자의 힘으로 국방을 하는 나라는 거의 없고 그럴 필요도 없다. 동맹을 활용해서 안보능력을 배가하는 것과 아예 동맹에 생존권을 의탁하는 것은 전혀 다른 얘기다. 미국과 유럽 27개국으로 구성된 북대서양조약기구(NATO)도 회원국이 공격을 받으면 다른 회원국들이 군사력을 제공하고 전작권은 미군 나토 사령관이 행사한다. 전작권 문제는 주권이나 자주국방 문제와 연결할 수 없는 이유다.

2009. 4. 27. 국민운동 주최로 장충체육관에서 '노무현 구속수

사 촉구하는 국민대회.' 3,500여 명이 참가한 대회에서 "노무현의 범죄는 금전에 관련된 죄악보다 이념에 관련된 범죄가 더 크다."라고 주장하기도 했다.

용산기지를 시민공원조성 사업이 퇴색할 수 있으나 '공원보다 안보가 더 중요하다'는 사실을 모르는 대한민국 사람은 없을 것이다. 한미연합사가 해체되면 유사시 미군의 자동개입과 병역증원, 핵우산 제공에 차질이 빚어질 수밖에 없었는데 다행으로 연기되었다.

국회에서 문재인 의원은 국방부장관에게 '전작권 무기한 연기는 국가주권을 포기한 것'이라며 '부끄럽지 않으냐'고 따져 물었다. 종북 세력들은 보수정권이 '식민지 노예근성'이 빚어낸 참사라는 주장까지 한다. 주권 포기라는 감성적 구호에 휘둘려 섣부르게 전작권 환수를 추진했던 지난 10년 동안 우리가 지불한 사회경제적 비용은 엄청나다. 그러는 동안 북한은 세 차례나 핵실험을 했다. '잃어버린 안보 10년'이 아니었던가.

대한민국의 안보를 위해서 절호의 기회를 맞이했다. 주어진 시간 한미연합사 존속하는 동안 북핵을 능가하는 첫째로 좋은 무기를 개발하고 둘째로 국민의 안보역량이 분산되지 않게 종북세력을 박멸하는 것이 국가 미래를 위하는 길이 될 것이다.

(2014. 10.)

5·16을 기억해주는 사람이 있어 행복하다

오늘은 5·16 쿠데타 58주년이다. 해마다 이 날은 '5·16 민족상'이란 행사에 초청받아 〈5·16 노래〉를 부르고 그날의 뜻을 기리며 자축해왔다.

그런데 2015년 50회 '5·16 민족상' 시상식 이후에 초청을 받지 못했다. 조국 근대화에 숨은 공로자를 발굴에 상을 주는 행사였다. 그 행사에서 5·16 동지들과 함께하여 가슴이 후련하게 〈5·16노래〉를 불러왔다.

〈5·16 노래〉(5·16 작사위원회 작사, 김성태 작곡) 가사이다.

(1절) 역사의 부름 앞에 떨치고 일어나/ 찬란한 횃불을 높이 들었다/ 자립과 협동으로 번영이루고/ 조국의 영광을 길이 빛내자

(2절) 오월의 푸른 정신 민족의 정기/ 겨레의 슬기와 힘을 모아서

중흥의 새 역사로 줄기찬 전지/ 자유와 평화의 통일 이루자 (후렴) 오천 만이 나아갈 길은 오직 이길 뿐/ 한마음 한뜻으로 굳게 뭉치자

어찌하여 이 나라는 50년이나 수상하던 민족의 행사까지 멈추어야 하는가. 반국가적 쿠데타는 두고두고 우려먹는데 국가재건에 성공한 쿠데타는 역사와 사람들의 기억에까지 지워버리려 하는지 안타깝다.

그런 마음으로 당일아침 일찍 신문을 뒤적거리는데 〈58년 전 오늘이 없어도 지금의 우리가 있을까〉라는 칼럼을 보고 아직 잊어버리지 않는 사람이 살아있었구나 싶어 감사하고 행복해진다.

"5 · 16은 이승만 건국과 함께 오늘의 한국 출발한 날/ 기적의 리더십 없었다면 지금 잘 돼도 태국 정도일 것/ 역사를 있는 대로 인정해야 미래로 나아갈 수 있다."라는 주제 칼럼을 전적으로 공감하면서 역사에 빛낸 사람들의 이름이 등장될 때 그분들이 빛낸 공적을 잊어버리고 살아온 것 아닌가 싶어 부끄러웠다.

이승만의 자유민주건국과 농지개혁, 국민교육제도 확립, 한미동맹 쟁취의 바탕 위에 대한민국을 세웠다.

박정희가 외자 도입, 수출 입국, 전자 · 중화학 육성, 농촌 혁명 전략을 밀어붙여 경제대국의 바탕을 다졌다. 수천 년 농업 노

예(노비) 국가를 근대 공업 국가로 탈바꿈시키는 기치였다. 박정희는 독일 방문 때 우리 광부들에게 "나라가 못살아 이국 땅 지하 수천 미터에서 일하는 것을 보니 가슴에서 피눈물이 납니다. 우리는 못 살아도 후손에게는 잘 사는 나라를 물려줍시다. 나도 열심히…."라고 말하다가 울음을 터뜨렸다. 광부들도 다 울었다. 그 현장 목격자 중엔 이 통곡 현장이 한국 기적의 시작이라고 생각하는 분이 여럿 있다.

그 깃발 아래서 기업인들이 기적의 역사를 써나갔다. "기업이 국민들 생활용품을 제대로 만드는 것도 애국이고 전쟁을 이기는 데 도움이 된다."(구인회)

"수원 반도체 공장은 43만 평으로 한다. 일본 히타치가 40만 평이다. 언젠가 일본을 능가해야 하지 않나. 왜? 내 말이 틀리나?"(이병철)

"나는 땅에는 우리나라 자동차가, 바다엔 우리 배가 다니는 모습을 정말 보고 싶다."(정주영)

"내 인생 80%는 인재 육성에 썼다. 인재는 석유 따위는 비교도 되지 않는 무한 국가자원이다."(최종현)

"당신들 미국인은 우리를 이길 수 없다. 당신들은 하루 8시간 일하지만 우리는 24시간 일한다."(김우중)

이상 내용을 밝혀준 칼럼에게 고맙고 감사하면서 그동안 잊고 살아온 내가 얼마나 못난 놈인가 싶다.

이승만, 박정희 정책 아래 구인회, 이병철, 정주영, 최종현, 김우중 이분들의 정열적 활약 위에 오늘 대한민국을 건재하게 한 것 얼마나 다행인가. 우리들은 이분들이나 그 후손 그 기업에 대하여 무심하지 않았는가를 되돌아보고 반성해야 할 일이다. 우리들은 이런 잘난 조상들을 기리고 미래를 바라보고 잘 살아가야 할 텐데 작금의 우리는 좋은 과거는 짓밟고 나쁜 과거만 부각 시키는 공멸과찬(功滅過讚)시대가 되었는가 싶어 매우 안타깝다.

중국에는 '공칠과삼(功七過三)의 문화'가 있는데 우리는 왜 없는가. 등소평(鄧小平)이 모택동(毛澤東)의 행적을 평가하면서 그의 공(功)이 일곱 가지고 과(過)가 세 가지인데, 공이 과보다 크기 때문에 그를 중국 근현대사의 최고지도자로 받들어야 한다고 주장한 것이다.

이는 인생만사에 공(功)과 과(過), 득(得)과 실(失), 미(美)와 추(醜)의 상반된 면이 공존한다는 만물의 진리를 가리키고 있다. 이런 인식을 바탕으로 중국의 통치체제는 안정되고 사회와 경제가 그 바탕 위에서 큰 흔들림 없이 발전하고 있다.

우리는 어떠한가? '공칠과삼(功七過三)'보다 '공구과일(功九過一)' 일지라도 못마땅해 미세먼지 털 듯 '적폐라는 잣대'로 숙청하고 있으니 국가 경제 안보가 정상이 될 수 있겠는가.

27년간 감옥살이하고 나와 대통령이 된 '넬슨 만델라'가 용서한 이야기를 듣지 못했는가. 용서 없는 정치, 공(功)은 안 보이고 과(過)만 보인다면 그 나라가 오래갈 수 없다.

예수님의 '죄 없는 자 돌로 치라'는 말씀에 못 미치고 '넬슨 만델라'같은 용서를 못한다 해도 최소한 모택동 행적을 등소평이 평가한 '공칠과삼' 정도로는 평가할 수 있는 인간들이 정치를 해야 나라가 건전한 발전을 이루리라 생각된다.

(2019. 5.)

공의와 정의를 외면당한 믿음

믿는 자란 말을 부끄럽게 생각된다. 양과 염소를 구분 못하는 신자들이 신자들의 목자로 날뛴다는 것이 한국교회의 민낯이다. 진실과 거짓은 하늘나라에서만 판가름되겠지만 우리는 현 지상에서 공기로 숨 쉬면서 살고 있다. 공기는 공기이되 어떤 공기를 마시고 사는가가 중요하다. 우리나라 좋은 공기를 마시느냐 중국의 매연을 마시느냐가 다르다.

지금 대한민국은 매연에 휩싸인 격이다. 매연이 조금 더해지면 독가스가 되고 만다. 이를 망각하고 놀아나는 교인들이 비일비재하다.

3월 10일 박근혜 대통령이 탄핵에 인용되어 대통령직을 떠나게 되었다. 이를 두고 기독공보사 〈대통령 탄핵과 교계의 반성〉 사설이 다음과 같이 실었다.

"실체도 실효도 없는 국가를 위한다는 명목의 기도회에 참가해서 결과적으로 국정농단 세력을 도와준 교계 지도자와 단체들은 스스로 자신들의 행동에 대한 고백과 회개가 필요하다. 권력의 잘 못과 타락을 지적하고 이를 바로잡는 파수꾼의 역할을 해야 할 교 회와 교계 지도자들이 오히려 부도덕한 권력의 편에 서서 이들과 함께하는 등 제 역할을 다하지 못한 책임을 통감해야 한다.

국회에서 탄핵이 가결되어 헌법재판소의 재판 절차가 진행되는 동안 탄핵을 반대하는 세력의 폭력적이고 저급한 시위 행태는 많 은 사람의 공분을 일으키는 지탄의 대상이 되었다.

대통령 파면 이후 이제 대한민국은 새로운 시대로의 도약을 준 비하고 있다. 교회도 민주적이고 정의로운 새로운 국가 건설이라 는 시대적 소명에 적극 부응하는 결단과 실천이 필요한 때이다."

부당한 불법탄핵을 묵인할 수 없는 공의와 정의 편에 서서 외치 고 비판해야 바른 신앙인이 아닐까. 성경을 껴안고서 거룩하게 다 니면서 마귀의 앞잡이 노릇하는 목회지도자들이 너무 많이 보인 다. 성경을 들고 거드름 피울 수 있는 것도 자유민주주의 아래 살 고 있는 덕분이다. 어느 대형교회 목사는 나라가 어디로 향하든 무관하게 국가 위기를 당면한 설교 기도 한번 평생 한 일 없으니 한심하다.

고 박형규 목사는 수없이 영오의 신세도 경험하면서 거리에서 설교하고 정의를 외치는 실천하는 지도자로 살다가 천당에 갔다는 글을 읽은 적이 있다.

어떤 목사는 국가안보위기를 알고 경각심을 외치는가 하며 유명하다는 목사는 적과 아군을 구분 못하고 적군을 지원 양성하여 거기로부터 공격을 당하면서도 떳떳한 척 하고 다니니 이 나라 안보위기를 신앙인들까지 자초하는 것 아닌가 싶다.

불의에 둔감해지는 국민 신앙인까지 많아지면 안보 위기는 언제 올는지 모르고 킬링필드가 되어도 속수무책 하게 될 거다. 모두 함께 깨어나 기도하자!

(2017. 5.)

나는 외로운 나팔수다

어느 날 아침 아들과 함께 차를 타게 됐다. 방송에서 자살한 성완종 사건, 세월호 사건에 대한 방송이 또 터져 나왔다. 두 사건에 대하여 나는 못마땅하게 생각했다. 의로운 사건도 아닌데 왜 수없이 반복하여 국민을 흥분시키려는지 의분(義憤)을 느낀다. 그래서 흥분된 어조로 "불의한 사건들을 왜 방송이 저렇게도 의분을 모르고 흥분만 시키는가."라면서 짜증스럽다고 했다.

듣고 있던 아들이 "아버지! 연세가 얼마요? 아버지가 의분해서 이루어진 일이 하나라도 있습니까? 몸을 돌보시어 그만 하세요."라고 하지 않은가.

오래 전부터 나랏일 안보에 대하여 의분을 토한 일이 한두 번 아니었기에 아들은 아버지의 건강을 생각해서 자제하라는 말이지만, 늙었다고 의분의 나팔을 불지 않는다면 불의한 세상을 향해 누가 나팔을 불어줄까?

나는 심히 외롭다고 생각한다. 아들까지도 의분의 나팔을 자제하라니? 불의한 사건을 불의하다고 판단 못하고, 정의를 정의롭게 판단 못하고, 안보 위해 요소들을 외면하는 지식인이나 대중에게 정의의 나팔을 불지 않으면 이 나라는 어디로 갈까 심히 안타깝다.

성완종 자살사건은 우리에게 정치인이면 누구나 범죄자가 될 가능성이 짙다는 의구심을 갖게 한다. 누군가 '정치는 돈이다'라는 말이 상식이라 했다. 정치인이 큰 부자가 아니고는 자기돈 만으로 정치할 사람 몇이나 될까? 대부분 깨끗할 수 없는 것이 현실이다. 전두환, 노태우, 김영삼, 김대중 어느 정권에서든 돈으로 인해 문제가 발생했다.

세월호 사건은 더더욱 상식을 벗어난 일이다. 사망자에 대하여는 명복을 빌어야 마땅하겠지만 본질이 바뀌었다. 안전사고의 근본 원인은 낡은 선박을 도입한 데서부터 시작되어야 한다. 낡아서 버린 선박을 도입하게 한 정권도 책임 있다. 일부 폐기 선박을 도입을 도와준 공무원이 책임 있고 기업체가 책임질 문제다. 이것을 왜 현 정권만이 책임질 문제인가? 안전사고에 대하여는 마땅히 기업체가 처리해야 할 사건이다. 대통령도, 정부도 이들에게 사고를 교사한 일이 없다. 나라를 위하여 목숨 바친 것도 아닌데 나랏돈으로 추모공원추모비 보상까지 한다는 것은 어불성설이다. 이를 두고 정의의 나팔처럼 1년이 넘도록 불어대는 까닭이 무엇인가. 불순세력의 개입 탓이다.

70년대 이후 대형 안전사고를 살펴보자.

- 1971년 12월 25일, 대연각호텔 화제로 168명이 사망하였으며 68
  명이 부상
- 1977년 11월 22일, 이리역 폭파사건으로 59명이 사망하고 130여
  명이 중경상
- 1993년 10월 10일, 서해 훼리호 침몰사건으로 292명이 사망
- 1995년 6월 29일, 삼풍백화점 붕괴로 사망 501명 실종6명 부상
  937명
- 1999년 6월 30일, 씨랜드 화재사건으로 유치원생 19명과 인솔교
  사 강사 4명 등 23명이 사망하고 5명이 부상
- 2003년 2월 18일, 대구지하철 참사에서 192명이 사망하고 148명
  이 부상 당했다.
- 2014년 2월 17일, 경주 마우나오션 리조트의 체육관 붕괴사고로
  부산 외대 학생 10명 사망하고 103명 부상
- 2010년 3월 26일, 천안함 폭침사건으로 장병 46명이 희생

이렇게 많은 사건 사고에도 특별법으로 처리한 일이 없었고 국
가에서 국고로만 책임지지 않았다. 세월호 사건은 다분히 일부 정
치인과 종북 숙주 세력이 주동 편승하여 불의의 나팔을 불어대며
확대 재생하고 있다. 왜 정부나 지식인이 불의적인 조치에 끌려가
야 하는가 싶어 의분을 느낀다. 끌려갈 이유 없이 불순 세력들에

놀아나는 것은 이 나라 안보에 커다란 위협이 된다. 불의의 선동 나팔에 동참하는 자를 마치 의분에 나선 사람으로 착각하는 데 의분을 느끼게 한다. 나는 외로운 안보 정의의 나팔을 불어댔다.

호주제 폐지 저지대회, 종북세력 척결대회, 사법정의구현대회, 국가전복 내란음모죄 가볍게 처리 말라는 대회, 자유통일 3·1절 국민대회 반대한 좌편향 역사교과서 시정하라는 대회, 합헌정부 전복 선동하는 반국가 종북 세력의 쿠데타 음모를 분쇄 요구대회, '종북, 이적, 간첩' 체제전복 세력을 일망타진하라는 대회, 북핵실험을 규탄대회, 대한민국 가슴에 박은 대못을 빼라는 대회, 종북 숙주 세력 척결대회 등등.

나는 이렇듯 '안보 위해세력 척결만이 나라 살리는 길'이라고 믿고 안보 정의의 나팔수가 되어 꾸준히 불어댔다.

근래 들어 정의는 불의에 죽어간다. 정직은 사라졌다. 안보의 길은 외로운 길이 됐다. 국가 안보보다 사생활 안보가 우선하기 때문이다. 안보가 지연에 흔들리고 혈연에 침몰해간다.

지난날 의분사건처럼 한 선동사건을 보라. '교통사고로 죽은 미순 효순 사건, 쇠고기 파동 사건, 한미 FTA 반대 시위' 등 많은 군중집회 사건을 마치 의분집단 사건처럼 바라보는 사람들이 많았다. 이들 선동 나팔에 놀아난 사람들 한심하기 그지 없다. 군중을 선동하여 정의를 불태우고 불의의 나팔을 불어대는 불순세력의 농간임을 왜 모르는가?

　제주 4·3사건, 여순반란사건, 5·18사건 등이 국간 안보사건임을 어찌하여 정직함이 거짓에 짓눌려 진실을 뒤엎고 이념에 매몰되어 가는가. 만약 4·3사건, 여순사건, 5·18사건들이 성공했더라면 오늘 자유대한민국이 존재했겠는가?

　역사를 뒤집고 전통을 버리면 나라가 망한다. 일제 침략으로 조선조 오백년의 역사와 전통이 하루아침에 사라지지 않았던가. 국가 안보는 아무리 강조해도 과하지 않다. 자유민주주의 건국 대통령을 올바로 평가 못해 '태어나지 말아야 할 정부'라는 대통령까지 있었는가 하면, 경제 대통령을 혁명하였다고 성공한 혁명이라 바르게 평가하다가 반전하여 쿠데타로 폄하하는 나라이다. 이는 역사와 전통을 뒤집고 짓밟는 일이 아닌가. 이는 적을 이롭게 하고 안보의 위협이 되는 사고방식이다.

　늙은 개도 집안에 들어온 도둑을 보고 짖어댈 줄 안다. 평생 안보지킴을 나의 사명으로 살아온 내가 늙었다는 핑계로 안보 울타리에 침략해오는 도둑을 보고 정의의 나팔을 불지 않는다면, 개보다 못한 놈이 되지 않을까 싶다.

　나의 사명은 안보의 나팔수였다. 외로워도 이빨 빠진 개 같을지라도 국가안보를 위한 정의 나팔은 끊임없이 남북이 자유 통일되는 그날까지 불어댈 생각이다.

(2015. 4.)

치산치수(治山治水)

우리나라 산림이 울창한 것은 '국가 경영의 기본이 치산치수(治山治水)'라는 것을 터득한 지도자의 공으로 봐야한다. 치산인 산림녹화, 치수인 강하천 물 관리를 한꺼번에 다할 수가 없어 치산을 먼저 한 것이 "우리도 한번 잘 살아보세…" 새마을 노래 부르던 그 시절부터였다. 치산녹화 10개년 계획을 수립하여 식목일(4월 5일)을 정하고 식수를 장려한 것이 성공하여 메마르던 하천에 물이 흐르게 됐다.

해마다 오뉴월 되면 타들어가는 논밭을 바라보다가 동네 어른들이 당나무 아래 돼지머리 고여 놓고 기우제(祈雨祭)를 올렸다. 그 때 소낙비가 한줄기 내리면 제사를 지낸 효험이라고 좋아했다. 산이 푸르러지면서 그런 풍속이 사라졌다.

그러나 장마철이 되면 물난리 소동을 여전히 막을 수 없었다. 낙동강, 영산강, 한간 등 큰 강이 범람해 농지를 잃고 길이 끊어

지고 농작물이 유실되는 등 처참한 뉴스가 빈번했다.

이후에 국가 경영의 기본인 치수(治水)사업을 하게 되어 대역사를 해냈다. 금년은 물론 몇 해 동안 큰 장마에도 4대강 물난리라는 소식은 많이 줄었다. 국가적 치산치수 사업을 성공적으로 이루었는데 왜 그분을 폄훼하는지 알 수 없다.

반세기 넘도록 자원연구발전 결과 세계에서도 가장 잘된 원자력 발전을 버리고(탈원전) 태양광 발전을 한다면서 치산(治山)정책으로 울창한 산림을 마구잡이 헤치더니 그만 지난 장마에 산사태가 나서 태양광 시설은 물론 농경지를 매몰시켜 주민의 아우성이 크다.

"文정부 3년간 태양광 발전 시설한다고 전국 임야에서 총 232만 7,495 그루의 나무가 베어진 것으로 집계됐다. 훼손된 산림만 해도 여의도 17배에 달한다고 윤영석 국회의원이 제출받은 통계를 발표됐다.

정치란 100년 앞을 내다보고 전개해야 하는데 전직 대통령들의 업적을 그냥 비난 흠집 내려하고 있어 정말 소인배들의 작태 같다. 과거정부에서 시행해온 국가적 사업인 원전, 치산치수, 자유민주이념 등 국가적 정책에 대하여는 부족하면 보완하고 더 발전시켜나가면 부강한 나라가 될 수 있다. 금년 들어 지난 정부에서 시작한 '건강보험 시스템' 덕으로 염병(코로나)을 잘 대처하고 있지 않는가.

오늘날 자연재해가 인간에게 경고를 하는데도 깨닫지 못한다면 구제불능인 집단이 될 것이다. 부족한 단견으로 과거 지도자들의 업적을 '과거청산' 틀에 넣어 망가뜨리지 말고 과거를 기본삼아 현재를 발전시켜 미래를 향해 나아간다면 현대적 위대한 대한민국으로 발전될 수 있다. 과거를 무시하고 미래를 향한다면 끝내는 불행한 종말을 초래하게 될 것이 자명하다.

(2020. 8.)

아내와 함께 걸어온 60년 세월

만남과 결혼

2010년은 나와 아내의 금혼식과 나의 희수(喜壽)가 겹치는 해여서 잘 보내고 이제 미수(米壽)를 맞았다. 살아 온 세월을 되돌아보면 사랑과 미움, 기쁨과 슬픔, 낭만과 설렘, 정열과 냉정, 불안과 공포로 뒤엉킨 어두운 터널을 아슬아슬하게 빠져나온 느낌이다.

요즘은 결혼하기도 힘들고 부부로서 함께 살아가기도 힘든 세상인 것 같다. 이제 돌이켜보면 우리 두 사람이 오늘날까지 해로할 수 있었던 것은 뭐니 뭐니 해도 우리 부부 사이의 금슬이 아주좋아 천정배필이었기 때문일 것이다.

우리는 처음 적수공권으로 만났다. 가진 것이라고는 젊은 혈기와 정열뿐이었고, 사랑으로 결합하면 잘 살 수 있다는 일념뿐이었다. 내 개인을 놓고 보더라도 군에서 터득한 '장교로서의 국제신사'적 기개와 자부심을 빼놓으면 아무것도 가진 게 없는 빈털터리 청년장교일 뿐이었다.

재산도 배경도 학력도 없는 군복 차림의 자그마한 애송이 청년에게 마음의 문을 열어 준 그녀의 고마운 뜻을 지금껏 잊지 못한다.

처음 만나 고운 마음과 눈짓만으로 장래까지 기약하게 된 것은 아마도 서로의 순박한 마음이 은연중에 통했던 모양이었다. 흘러가는 강가 달빛 아래에서 두 손을 마주잡고 처음 그녀의 뜨거운 체온을 느꼈다.

그녀는 내 뜻을 너그러이 이해하고 소박하기 짝이 없는 우리의 혼례를 기쁜 마음으로 받아들여 주었다. 그래서 우리는 포천군 청산면 청산리 교회의 옥 목사님의 주례 아래 하나님께 굳게 약속하고 부부의 연을 맺었다.

결혼 생활

요즘 젊은이들은 혼수, 가구 같은 살림살이, 아파트 등 모든 것이 다 갖추어져야 결혼할 수 있는 모양인데, 우리는 그런 것에 신경을 쓸 여유가 없었다. 수저, 그릇 몇 벌, 냄비, 그리고 비닐 옷걸이와 관물 궤짝만 가지고 결혼에 임했다. 서로의 뜨거운 사랑으로 족했다. 살 곳은 전국 방방곡곡 어디라도 좋았다. 월셋방 하나면 되었다. 그것이 우리의 집이요, 보금자리였다. 우리는 군인 가족이 많이 사는 곳은 되도록 피했다. 빈약한 살림 형편을 다른 사람에게 드러내 보이기 싫어서였다. 그리고 군인 가족끼리 모이면 자연 건설적인 이야기보다 쓸데없는 이야기 쪽으로 흐르기 쉽기 때문에 그런 자리를 피하고자 한 것이다. 한 달에 쌀 한 가마니 값 정도밖에 안 되는 봉급을 가지고 고향의 어머님, 동기간까지 돕자니 자연 우리의 살림은 쪼들릴 수밖에 없었다.

신혼의 단꿈은 다음 해 첫아들의 탄생으로 이어졌다. 한 아이의 어버이가 된 우리는 6개월이 멀다 하고 이사를 다녀야 만 했다. 아들이 생후 3개월 되었을 때 대구로 전속되었다. 대구시 동인동 홀 할머니(동수 할멈) 댁 문간방에 새 둥지를 틀었다. 아내가 저녁 준비할 무렵 아들과 아내가 보고 싶어 일과시간이 끝나기가 무섭게 곧장 집으로 내닫곤 했었다.

5·16 혁명

추녀 밑 간이부엌에서 저녁 준비하는 아내에게 눈빛으로 인사하고 손발을 씻고 막 새근새근 잠든 아들을 안아보려는 순간 부대원이 헐레벌떡 달려와서 "소대장님 비상소집입니다"라고 다급하게 외쳐댔다. 벗었던 양말을 다시 주워 신고 급히 부대에 들어가니 부대전원이 완전무장하고 비상대기하고 있었다. 아무래도 심상치 않는 일이 벌어졌다는 생각이 들었다. 밤 10시경이 되자 '혁명 출동명령'이라 했다.

'혁명이란 성공하면 충신이 되고 실패하면 반역이 된다'는 생각이 불현듯이 뇌리를 스쳤다. 다시 못 볼 것이 아닌가 하는 생각에 아들과 아내가 눈앞에 어른거렸다. 실패하면 팔공산 공비로 전전하다가 최후를 맞는 신세가 되겠지 하는 경망스러운 생각과 성공하면 팡파르 소리에 발맞춰 보무당당히 행진하겠거니 하는 생각이 내 머릿속에서 교차했다.

당시 백성들은 가난에 찌들어 도탄에 빠져 있었고 사회질서는 혼란의 소용돌이 속에서 연일 데모로 날을 지새우고 있었다. 이제 드디어 변화가 올 때가 왔다고 생각했다. 불안한 마음이 없지 않았으나 군인의 본분이 상명하복(上命下服)이므로 다른 생각을 할 여지가 없었다. 필연코 다가온 혁명은 우리의 살길, 나라의 살길이라고 생각하고 출동명령 대로 남대구경찰서로 거침없이 진군했더니 별반의 저항 없이 쉽게 경찰서를 점령·장악할 수 있었다.

이렇게 해서 나는 5·16 군사혁명을 겪었다. 집에 전화 한 통화할 겨를도 없어 연락도 못하고 지냈는데, 훗날 들으니 아내는 초조한 마음을 달래며 기나긴 밤을 지새웠다고 했다.

군복 벗음

혁명 3년 뒤 아내와 의논 끝에 군을 떠나기로 결심했다. 평생을 군에 바칠 생각이 아니라면 조금이라도 더 젊을 때 군복을 벗고 사회에 진출하여 '혁명과업'에 비익(裨益)되는 일을 하든가, 다른 방법으로 국가에 공헌하는 일을 하든가, 양단간에 결정해야 했다. 그래서 군복을 벗기로 결심했다. 이등병에서 대위가 될 때까지 군 인생활 8년 6개월 만에 군 생활을 청산한 것이다.

그때 나와 비슷한 생각으로 군을 떠난 젊은 장교들이 적지 않았다. 그래서 같은 뜻을 지니고 나온 사람들이 함께 호구지책이 될 사업을 궁리하다가 그 첫 사업으로 '줄포 간척사업'이란 것을 하려고 했다. 무일푼의 우리가 희망과 의욕만을 밑천으로 거창한 간척사업을 한다는 것은 불가능에 가까운 일임을 깨달은 것은 1년여의 허송세월을 거친 뒤의 일이었다.

주간노숙자 생활

그러다 보니 자연 청년 실업자가 되고 말았다. 아내에게 실업자의 모습을 보이는 것이 쑥스럽고 두려워 처음에는 간척사업이 잘 추진되고 있다고 거짓말을 하다가 나중에는 작은 회사에 임시직으로 취직했다며 아내 몰래 주간노숙자 생활을 했다.

어쨌든 매일 도시락을 싸 들고 어디론가 출퇴근해야 했다. 그때 단짝 친구는 같이 혁명대열에 섰던 원헌식(예비역 소령)이었다. 점심 먹을 돈이 없으니 부득이 도시락을 싸들고 집을 나설 수밖에 도리가 없었다. 실업자 동지들이 한 달에 한 번 정도 만나 취직을 의논하며, 과거 상관이었다가 실세권으로 부상한 사람들이 취직을 안 시켜 준다고 욕만 잔뜩 퍼붓다가 헤어지곤 했다.

그런 하루를 제외한 나머지 날은 시간 보내기가 여간 지겹고 힘든 게 아니었다. 해 질 녘에 힘없이 집에 돌아와 어린 아들과 둘째를 잉태하여 배부른 아내를 바라보는 가장의 심정은 정말 가슴이 미어지는 것 같았고, 무거운 책임감에 눈앞이 캄캄했고, 마음은 천근만근 무겁기만 했다.

아침 출근 시간에 맞춰 도시락을 들고 친구와 함께 오늘은 우이동 계곡, 내일은 정릉계곡을 찾아 산자락과 계곡을 누비면서 무료한 나날을 보내자니 산새들의 지저귐마저 저주로 들렸다. 훗날 그 산과 계곡을 찾았을 때는 그리도 아름답고 화사하게 느껴진 곳이 그때는 왜 그렇게 음울하고 을씨년스러웠던지. 자연 감상이란 그때의 우리에게는 가당치도 않은 사치였다. 마음은 언제나 달리 의지할 데 없이 오직 남편만 바라보고 있는 아내와 철모르는 자식에게 가 있었다. 어떻게 하면 그들을 배불리 먹이고 편히 재울까 하는 생각으로 머릿속이 꽉 차 있었다. 생소한 서울 지붕 아래서 밤에는 꿈속에서 멋진 기와집을 수없이 지었다가 헐곤 했고, 낮에는 산자락을 배회하는 주간노숙자 현실로 돌아와 세상을 원망하곤 했다. 요즘 서울역 앞을 지날 때마다 노숙자들의 고달픈 삶이 새삼 애처롭게 느껴지곤 했다.

월말이 다가오면 일은 더 심각했다. 봉급 봉투를 집에 가지고 가야 거짓이 탄로 나지 않고 아내를 안심시킬 터인데 돈 한 푼 없는 알거지 신세가 아닌가. 구걸하려 해도 아직 덜 주린 탓인지 용기가 나지 않았다. 도둑질을 하려 해도 엄두가 나지 않았다. 부득이 물에 빠진 사람이 지푸라기 잡는 심정으로 실오라기 같은 연고를 찾아가 호소해 보는 수밖에 도리가 없었다.

먼저 공병병과에서 혁명군 출신으로 국회의원이 된 서○○ 의원의 사무실을 무턱대고 찾아갔다. 서 의원과는 일면식도 없었지만 공병에서 혁명군 출신으로 국회의원이 되었다는 것 하나만 믿고 찾아간 것이다. 오(대위 출신) 비서를 만나 의원 면회를 요청했더니 부재중이라고 거절당했다. 그러나 다급한 사정을 설명하고 도움을 호소했더니 비서가 금일봉을 내놓았다. 그것을 첫 달 봉급이라고 아내에게 내밀었고 그 달의 봉급날을 그럭저럭 때울 수 있었던 것은 그나마 다행이었다.

염치없이 다음 달 또 오 비서를 찾아갔다. 다시는 찾아오지 않겠으니 한 번만 더 도와 달라고 부탁했다. 너무나 딱한 내 얼굴을 읽었던지 먼젓번보다 반 정도로 가벼운 봉투를 내밀면서 다시 찾아오지 말라고 했다. 돌아서면서 입술을 깨물며 이젠 어떤 짓이라도 해야겠다고 스스로 굳게 다짐했다.

한 해가 다 가도록 봉급 봉투는 두 번밖에 못 내놓았으니 아내도 내가 실업자임을 눈치챘을 터이지만 내색을 안 하고 잠자코 있었다. 아내는 남편의 사기를 꺾지 않으려고 거짓 출근하도록 도시락을 싸 주어 남편이 출근하고 나면 그때서야 '종이봉지 붙이기' 일을 해서 구멍가게에 팔아 호구지책으로 삼았다는 사실을 뒤늦게 알고 피눈물을 삼켰었다.

공무원으로 취직

일년이 넘도록 맨날 빈들빈들 놀고만 있을 수는 없었다. 어린 아들과 새로 태어날 아이를 생각하면 가장으로서 무거운 책임이 느껴져 무엇이든 닥치는 대로 해야만 했다. 하지만 구멍가게를 하려 해도 무일푼이었고, 농사를 지으려 해도 땅 한 뼘도 없는 처지였고, 할 수 있는 것이라고는 채용시험을 거쳐 취직하는 길뿐이었다.

국영기업체에 취직해서 다니는 동지들이 너무나 부러워 찾아가 상의해 보아도 뾰족한 수가 없었다. 학연, 지연, 인연(人緣)도 없는 몸이 갈 곳은 오직 한 곳밖에 없다는 절박감을 느꼈다. 공채시험을 쳐서 합격해야 했다. 공채시험에 합격하여 공무원이 되기만 하면 군대를 떠날 때 생각했던 '혁명과업 수행'에도 이바지할 수 있으리라 생각되었다.

천운이었던지 5급 공무원 채용시험에 합격하였다. 보직 신고할 때 그곳 기관장이 내 신상 명세서를 보고는 "혁명과업을 수행할 일꾼이 왔군. 열과 성을 다하시오. 그리고 애로사항이 있으면 나를 직접 찾아오시오."라고 격려를 아끼지 않았다. 그 격려의 말은 끝까지 소임을 다하라는 당부로 받아들였는데, 정작 그 당자는 훗날 나라를 배신하고 행방불명이 되었다는 소식을 들었을 뿐이다. 5급 공무원을 아내가 어떻게 받아들일까 걱정했는데 아내는 무척 기뻐해 주었다. 우선 실업자의 아내란 멍에를 벗는 것이 기뻤을 것이고, 짓눌리던 양어깨가 홀가분해졌을 것이다. 요즘의 실업자들의 아내의 고통을 이해할 만하다.

우리의 둘째 아이는 딸이었다. 한데 아이를 많이 가진 사람은 방 얻기가 몹시 힘들었다. 셋방을 선뜻 내주려 하지 않는 것이다. 그래서 방을 얻을 때는 아이 둘 중 하나만 데리고 갔다가 세 얻고 난 다음 저녁에 다른 아이를 몰래 데리고 들어가는 것이 요령이었다. 세 번째에도 또 딸을 낳았으니 우리는 어느덧 아들 하나 딸 둘의 어버이가 되어 있었다. 다섯 식구로 셋방을 얻는다는 것은 여간 힘든 일이 아니었다. 아내와 의논한 끝에 무허가 주택 촌을 찾아가서 적당한 것이 있나 살펴보기로 했다. 시에서 철거민을 집단 이주시킨 미아리 고개 너머 삼양동 달동네가 바로 그런 곳이었다.

처음 소유하는 달동네의 내 집(삼양동 1차)

서울시에서 철거민들에게 나눠 준 삼양동 산 위 달동네의 필지당 20평의 시유지를 권리금을 받고 사고판다는 소리를 들었다. 두 필지 40평을 덜컥 사고 나니 이제 대지는 마련됐는데 건축비가 없었다. 문득 공병부대에서 폐자재를 땔감으로 쓴다는 말을 들었던 것이 생각났다. 그 폐자재 중 쓸 만한 것을 고르면 집을 지을 수 있겠다는 생각에 염치불구하고 창동 공병부대를 찾아갔다.

마침 혁명 때 같이 참여했던 김상옥 대위가 있었다. 그에게 블록 벽돌은 스스로 찍을 수 있는데 지붕을 덮을 자재가 없어 어려움에 처해 있다는 사정을 설명하고 도움을 청했지만 확실한 대답은 듣지 못한 채 돌아서야 했다.

한데 웬일인가. 그가 아무 소식이 없다가 어느 날 그 부대에서 느닷없이 폐자재 한 트럭을 싣고 달동네 산등성이까지 실어다 주었다. 아내와 나는 고마움에 감읍했다. 퇴근 후 밤에 횃불을 밝히고 시멘트 블록을 찍어 벽을 쌓고 폐자재로 지붕을 이어 3개월 만에 무허가 집 한 채가 완성되었다.

부대의 폐자재가 훌륭한 건축자재 역할을 해 주어 아내와 나는 두고두고 그 고마움을 가슴 깊이 새기고 있다.

셋방살이만 전전하다가 생전 처음으로 내 집을 갖게 되니 그 기쁨은 이루 형언할 수가 없었다. 비록 무허가 집일망정 우리는 천하를 얻은 기분이었다. 셋방살이만 하던 우리가 방 한 칸이 남아돌아 오히려 세를 놓는 처지가 되었다. 그래서 달동네 성민교회를 개척한 월남한 독신자 김 목사에게 방을 세놓았다. 별명 '야치' 목사님은 한 식구나 다름없이 우리 아이들을 아끼고 사랑해주었다.

이 달동네의 내 집에서 직장에 가려면 반시간 좋이 걸어야만 통근 버스를 탈 수 있었다. 출근 때는 그래도 내리막길이라 기분 좋게 아침 공기를 마시며 걸을 수 있었지만, 퇴근 때는 오르막길이라 숨차고 힘들었다. 몇 달간은 등산하는 기분으로 잘 다녔으나 한 해 겨울과 봄을 겪고 나니 힘들어 출퇴근이 큰 고역으로 다가오기 시작했다. 셋방살이하던 지난날이 오히려 그립게 생각되었지만, 그렇다고 다시 셋방살이로 돌아갈 생각은 추호도 없었다.

처음 갖는 등기된 내 집 (미아동 2차)

무조건 내 집이면 좋다고 생각했던 우리 부부도 산동네가 점점 부담스러워져서 어떻게 해서라도 그곳을 벗어나고 싶었다.

마침 아내의 친구의 도움을 받아 평지인 미아리 개울가에 있는 집을 사서 '높은 곳에서 낮은 곳으로' 이사를 하게 되었다. 얼마 전까지만 해도 무허가라도 내 집을 갖는 것 자체에 의미를 두고 감격했었는데, 이제는 버젓이 '등기된 내 집'을 처음 갖게 되어 우리는 또 한 번 큰 감개에 젖었다.

돈이 부족해서 우선 세를 안고 방 한 칸에 입주했다가 1년 후에야 안방을 차지할 수 있었다. 한데 높은 산등성이를 벗어나 반반한 평지로 내려왔다고 좋다고 했는데, 지대가 너무 낮아 여름철에는 물난리에 시달려야 했다.

어느 해 여름, 개울이 범람하여 잠들었던 딸이 물에 둥둥 뜨는 난리를 겪고 우리는 또 깊은 시름에 빠졌다. 여름철 비만 내리면 가슴 조이는 이 개울가 집에서 생명의 위협까지 받으며 살자니 걱정이 태산 같았다. 달동네의 무허가 주택도 통근의 불편으로 손들었고, 저지대의 등기된 집도 물난리 때문에 진저리났다.

안전지대로 이사할 궁리를 해야 했다. 그러려면 이 집을 살 작자가 쉬 나서도록 이 집의 가치를 한껏 높여 놓을 필요가 있었다.

궁리 끝에 장마철을 피해 이 집에 가게 터 하나를 증축하여 거기에 세탁소를 들여 한창 성업 중에 집을 팔면 값도 잘 받겠다는 아이디어가 떠올랐다. 그래서 개울에 판자때기를 깐 다리를 놓고, 기존 가옥에 무허가로 가게 한 칸을 달아냈다.

어느 날 근무 중에 아내에게서 헐레벌떡 숨넘어가는 전화가 걸려 왔다. 증축 중인 가게를 철거반원이 와서 마구 부순다는 얘기였다. 다급해서 달려와 보니 우락부락하게 생긴 철거반원 서너 명이 몽둥이와 망치를 들고 증축 부분을 부수고 있었다. 건축허가를 받지 않고 그냥 짓다가 낭패를 보게 된 것이다.

이렇게 해서 허가 없이 건물을 짓거나 증축하면 안 된다는 호된 교훈을 받았다. 어쨌든 우리의 세탁소 작전은 옹골차게 적중해서 우리는 또 다른 곳으로 이사할 수 있게 되었다.

높지도 낮지도 않은 곳의 내 집 (미아동 3차)

이번에는 산등성이 높은 데도 물난리에 시달리는 개울가도 아닌 곳, 그리고 아들 학교가 가까운 미아국민학교 근처에 집을 사서 이사하였다. 이 집에는 정원에 나무도 몇 그루 있고 꽃을 심을 수 있는 화단까지 있어 썩 마음에 들었고, 이제는 아무 걱정이 없는 나날을 보내게 되었다.

그런데 호사다마(好事多魔)라 했던가. 어느 휴일에 뜻밖에도 옛날 내게 도움을 준 일이 있는 철원 사는 김만수(사장)라는 사람이 찾아와 나를 은근히 유혹했다. 민통선 북방 남대천 지역에 농경지 정리공사를 하고 있는데 공사가 끝나면 정리된 논 1만 평을 할애해 줄 테니 이 집값 반인 200만 원만 투자하라는 것이었다.

직장이란 항상 불안한 법인데 혹여 실직이라도 했을 때 농토가 있으면 안전판(安全瓣) 구실을 톡톡히 할 것이다. 농사를 지으면 아이들 학비, 생활비 등이 해결되어 아무 문제가 없을 듯싶었다. 아내와 의논 끝에 그 집을 팔아 200만 원을 김만수에게 주었다.

그런데 그는 돈을 가져간 후 통 연락하지 않았다. 몇 해 뒤 경지정리가 다 되었다는 소문을 듣고 전화를 걸어 1만 평 논의 등기서류를 달라고 요구했다. 며칠 후 1만 평 땅 등기서류를 가져다주었다. 경지정리 지역 토지 서류가 아닌 다른 등기문건을 주면서 차후 경지정리 후 등기가 완료되면 논 1만 평을 어김없이 주겠다는 각서까지 써주고 갔다.

그 후 김 사장은 이리저리 나를 피하고 만나 주지 않았다. 할 수 없이 어느 날 경지정리 지역을 직접 찾아가 등기등본을 확인해보니 경지정리 지역에는 약 3백 평만 들어 있고 나머지 9,700평은 철조망, 지뢰밭 등 쓸모없는 산자락 땅이었다. 그때서야 속은 것을 깨닫고 그에게 항의했으나 아무 소용없었다.

그는 세 아내의 몸에서 아들딸 16명을 낳게 한 사람으로 무쇠라도 녹일 그런 위인이었다. 그 후 가세가 기울어 그의 말년은 순탄치 못했다고 들었고, 나와는 영 연락 두절이 되고 말았다.

가격 적당하고 통학 쉬운 내 집 (돈암동 4차)

아들이 신일중·고등학교에 입학함과 아울러 교통편 등을 고려하여 돈암동의 오래된 한옥 20평 정도의 것을 사서 이사했다.

이 집에서 몇 해 사는 동안 집을 자주 수리하고 아담하게 가꿨다. 아들은 신일고등학교를 졸업하고 연세대에 입학했다. 이제는 돈암동 지역을 떠나도 아이들 학교 불편은 없을 것 같았다. 그리고 아내가 낡은 집이지만 요리조리 편리하게 자주 뜯어고쳐 몇 년을 산 덕에 좋은 값으로 팔 수 있었다. 그때 간첩 침투가 빈번하여 제2의 6·25남침이 두려워서 한강 남쪽을 선호하는 분위기가 바야흐로 무르익을 때였다. 그래서 돈암동 집을 팔고 과감히 강남으로 이사하기로 마음먹었다.

탈 강북, 입 강남(脫 江北, 入 江南, 역삼동 5차)

강남 개발이 막 시작될 무렵 강남을 둘러보니 배밭과 논밭이 많았는데 여기저기에 집이 지어져 있었다. 강남 일대를 두루 섭렵하다가 역삼동에 있는 100여 평 대지에 건평 25평짜리 국민주택을 하나 보았다. 강북에서 기껏 3, 40평 대지의 주택에 살다가 100평이 넘는 대지를 보니 우리는 가슴이 뿌듯했고 귀가 솔깃했다. 비록 진입로는 진흙탕 길이었고 집은 볼품없어도 우리 가족이 살기에는 아주 훌륭했다. 흙탕길에 교통이 다소 불편해도 몇 년 참고 견디면 쉬 포장이 되겠지 하는 희망 아래 이곳에 강남의 첫 보금자리를 틀었다. 예고에 다니는 딸 임경, 연대에 다니는 묵호에게는 좀 불편하겠지만 참아 달라고 하니 순순히 따라 주었다.

1980년 강북 엑소더스를 감행하여 무사히 강남에 입성하여 그 집에서 10년 사는 동안 나의 신변에도 많은 변화가 일었다. 공직에서 물러나면서 탄 퇴직금은 사취당했고, 어음할인을 하다가 부도가 났고, 동업하다가는 배신당하는 등 온갖 풍파를 다 겪었다.

한데 '비온 뒤에 땅이 굳어진다.'고 그새 나의 삶은 조금씩 다져졌다. 그렇게 10년 간 살아왔는데, 어느 날 갑자기 8미터 폭 길 건너 남서울호텔(지금의 리츠칼튼호텔) 증축을 위해 지하 5층을 파는데, 소음과 분진이 극심하여 도저히 살 수가 없었다. 호텔 측에 항의해 보았으나 '계란으로 바위치기'나 마찬가지였다. 그래서 또 이사할 수밖에 없었다.

우리의 스위트 홈 (논현동 6차)

남서울호텔 신축공사에 밀려 논현동 집을 마련하여 1990년 초에 이사했다. 논현동 집은 경락받은 제1상호신용금고에서 구입했다. 여기서 20여 년을 살면서 아들 하나 딸 둘을 다 시집 장가보냈다.

리 90.9.14) 경아(소망 95. 9.15)

가족 13인

어느덧 다섯 손자 손녀의 할아버지 할머니가 되었으니 이를 덮을 만한 기쁨과 행복이 따로 있을쏘냐.

몇 해 전에는 본적지까지 이 집 주소로 옮겼으니 우리 부부가 노후를 느긋하게 보낼 자랑스러운 터전이다.

어느덧 세월이 흘러 장손(동현)까지 결혼하게 되었으니 이집에서 한 아들 두 딸 장손까지 넷을 성혼시킨 복 받은 터전이다. 1989년 4월 20일 宋氏 집안 규수(Tokyo Japan. Keio University 慶應義塾大學 출신)와 결혼식을 올렸다. 손자와 손부 같은 나이에 같은 이름 자 '賢'이 들어 있어(蔡東賢, 宋知賢) 행운의 만남은 축복이다.

장손 동현 결혼식

이 집에서 좋은 일을 치르고 나니 아내와 아들딸들이 아파트로 이사 가자고 성화를 부렸다.

안방 앞 정원에서

하버드생 외손자 홍찬의의 학우들
(2017. 6. 16)

하버드 생 12명이 정원에서 노래하다

6번째 집을 팔고 일곱 번째 아파트로 (잠실 7차)

지금 여섯 번째에서 일곱 번째 집으로 이사하면 더 좋으리라 생각했다. 지금까지 이사는 자의라기보다 그때마다 주위의 여건이나 타의에 의해 여기까지 온 것이다.

단독주택 생활하다가 아파트로 이사하기로 결심(33평. 1998년 8월에 송파구 올림픽로 99, 162동 1501호, 잠실동 잠실엘스)하고 이사했다.

하나님을 믿는 사람의 눈으로 보면 순간마다 하나님의 인도가 있어 오늘에 이른 것이라고 말할 수 있다. 믿는 자에게 일곱 수는 행운과 완성의 숫자이다. 하나님이 허락하신다면 우리의 일곱 번째 이사로 우리들의 행운과 완성의 터전이 되기를 하나님께 기원한다.

아내와 함께 겪은 고난의 길

(1) 나의 대학공부

누구나 그렇듯 나도 대학공부를 몹시 갈망했지만 그럴 형편이 못 되어 겨우 고등학교만 졸업하고 적령이 되자 곧 입대했다. 사병 시절 모진 기압에 시달리곤 했는데 뜻한 바 있어 장교 임관을 했다. 그리고 그것이 내 인생에도 적지 않은 변화를 가져왔다.

육군 장교의 신분으로 건국대학 야간부에 입학했다. 독학으로 고등고시를 쳐본 경험이 있어 법학과에 입학했다. 말이 학생이지 1주일에 한두 번의 수강도 어려웠다. 경기도 포천군 청산면 청산리 두메산골에 있는 중장비 중대에 근무할 때다. 일과가 끝나기가 무섭게 3시간 남짓 버스를 타고 서울 낙원동 교사까지 가면 대개 수업은 끝나가고 있기 일쑤였다.

강의 진도라도 알아야 하기 때문에 한 여학생(현안순)을 사귀어, 강의 스케줄도 알아보고 출석관리도 부탁했다. 그러고는 바삐 부대에 돌아가야 했다. 이런 식으로 하는 공부도 1주일에 한두 번이 고작이었다.

이렇게 4년을 마치고 졸업식에 갔지만, 내게는 박수 보내 줄 사람, 악수해 줄 사람 하나 없었다. 그래도 졸업했다고 가슴 벅찼었는데 '수료증'만 달랑 주는 것이 아닌가. 놀라서 물어봤더니 대학졸업시험을 별도로 치러서 합격해야 비로소 졸업장을 준다는 것이었다.

1962년의 일로 갑자기 '대학졸업국가고시'라는 것이 생겼다. 누구나 이 시험에 합격해야 학사가 되어 정식 졸업을 할 수 있다고 했다. 나는 동선동 서울대 교실에서 '대학졸업시험'을 치렀는데 마음이 초조했다. 합격자 명단은 일간지에 공개됐고, 다행히 내

이름 석 자도 신문의 합격자 난에 끼어 있었다. 그 순간 '나도 해
냈구나' 하는 만족감을 만끽했다. 다음 해부터 그 제도가 없어졌
으니 나는 실로 전무후무한 제도 하에서 대학을 졸업한 사람의 하

나

였다.

수료 증서   졸업 증서

졸업 사진

(2) 군수 폄하 누명 사건

77, 8년경 5군단 지역을 담당할 때의 일이다. 신임 군수가 경
험이 부족해서였던지 '자격도 없고 교만하다'고 지방 유지들에게
낙인찍혀 축출해야한다는 기운이 무성했다. 주동자격인 유지가
나에게 그 사실을 알려 주며 그를 축출해야 한다고 선동했다. 나

는 이들을 무마하고 만류하는 입장을 취했다.

한데 이 사건은 청와대까지 비화했다. 평범한 군수였다면 도(道) 차원에서 처리되었을 터이지만, 바로 당자가 청와대에서 낙하산 부임한 자로서 청와대 둘레의 관심의 대상인 자였다. 그래서 청와대 민정부서에서 내사하게 되었고, 그 결과 문제의 군수를 두둔하고 그의 허물을 은폐하여 주려고 그 군수에게는 문제가 없고 다른 사람의 공연한 폄하 때문이라는 취지의 허위 보고서를 만들어 나를 지목하여 폄훼했다.

그 바람에 '채 아무개 서기관은 일금 3만 원 뇌물을 받고 군(郡) 업무에 사사건건 부당하게 간섭한 바 있으니 응분의 인사조처를 하라'는 박정희 대통령의 특명이 내렸다. 특명은 곧 나의 소속 기관에 하달되어 나는 몇 달간 피의자 신분으로 안전가옥을 전전하면서 많은 수사관의 조사·신문을 받느라고 온갖 고초를 다 겪었다. 내가 순순히 공술(供述)하지 않으면 사단장, 경찰서장까지 문제된다고 하기에 나 혼자 죄를 뒤집어쓰기로 결심하고, 하룻밤만 더 자고 나서 양단간 결정하겠다고 수사관에게 약속했었다. 한데 그 날 밤 그들의 보고서가 허위라는 사실이 밝혀져 나는 억울한 누명을 벗게 되었다.

결국 허위로 판명되었지만, 공직생활 말년에 억울하게 누명을 뒤집어쓰고 면직당할 뻔했다. 훗날 안 사실이지만 아내가 '대통령

명령이라고 덮어놓고 사람을 죄인 취급하지 말라.'고 부서 최고책임자 집을 몇 번 찾아가 호소하려다가 만나 주지 않고 문전박대당했다는 이야기를 듣고 아내의 갸륵한 노고에 새삼 감읍하였다.

(3) 어음할인 사기극-1차(어음 부도)

1980년 말 전두환 정권 하에서 20여 년의 공직생활을 마감했다. 퇴직금은 일시금으로 받았다.

때맞추어 친지인 장지봉으로부터 전화가 왔다.

심심할 터이니 명동의 자기 사무실에 나와 '내 사무실처럼' 이용하고 편히 지내라고 했다. 그의 호의를 좋게 받아들여 사무실에 나가 봤더니, 모든 것이 여유 있어 보였고 사람도 유난히 후덕해 보였다. 내가 공직에 있을 때 그의 광산의 폐수(廢水)가 신문지상에 시끄럽게 문제되어 약간 도와준 것이 그를 알게 된 동기다.

그의 호의가 고마웠고 무엇보다 신망이 갔다. 그의 사무실에서 그 날 그 날을 잘 보내던 어느 날 그가 무료할 터인데 어음할인을 하도록 도와줄 터이니 돈을 가져오면 책임지고 불려주겠다고 했다. 순진하게 그가 책임진다는 말을 그대로 믿고 아내까지 동원해서 돈을 마련해서 갖다 주었다. 선 이자를 떼고 3개월짜리 어음을 건네주었다. 한데 발행인 명의가 본인이 아닌 제삼자였다. 책임지기로 했으니 당연히 배서해 주겠거니 생각하고 배서를 요구했더니, "우리끼리 말로 책임진다면 그만이지 무슨 배서까지…."라고 차일피일 미루는 것이었다. 할 수 없이 일단 믿어 보기로 하고 3개월 후 어음기일에 교환에 회부하고 때마침 모친상을 입어 어머님 장례를 치르고 돌아와 보니 보기 좋게 부도나 있었다. 그의 배서를 확보하지 못한 내 불찰 때문에 몇 년을 질질 끌며 싸우다가 원금의 반만 겨우 받고 종결짓고 말았다. 결국 내가 사회의 첫 걸음은 '돈 잃고 친구 잃는 꼴'의 쓴 경험으로 끝나고 말았다.

(4) 부동산관련 사기 - 2차(퇴직금 털림)

1980년 12월 대구에서 나의 공직생활 마감이 임박한 어느 날 군인 시절의 친구 소개로 박양두이란 건축업자를 만나게 되었다. 그의 얘기인즉, 칠곡군에 좋은 임야가 있으니 그것을 가지고 공원묘지 사업허가만 받아 내면 반드시 성공할 것이니, 퇴직 후 함께 사업을 하자고 은근히 유혹했다. 또 나는 사전에 김 아무개 도지사에게 퇴직 후 사업을 하겠으니 도와달라고 했더니 검토해 보겠다는 긍정적 언질까지 받았다. 그의 얘기가 제법 솔깃해서 연금 조건의 퇴직금을 일시금으로 돌려 퇴직금 전액을 일시급으로 받아 몽땅 그에게 주었다.

그는 설사 공원묘지 허가에 실패한다 해도 원금만은 보장하겠다고 차용증서까지 써주고 돈을 가져갔다. 그의 건물 2층에 내 자리를 마련하여 놓고 회장 명패까지 준비했다. 그러고는 나로 하여 금 묘지허가 업무를 전담하게 했다. 허가서류를 들고 도지사를 만나 부탁하고 관계부처를 동분서주 하였건만 부처마다 다음에 보자고 미적거리는 바람에 2년여의 세월이 쏜살같이 흘렀다. 중앙 부서까지 오가는 동안 박양두 사장은 건축 사업의 부도를 내고 감옥에 가고 말았다.

그는 회사경영난을 타개하기 위해 공원묘지 허가를 핑계 삼아 나에게 우려낸 돈을 가지고 자기 회사를 2년간 연명시키다가 부도내고 만 것이다.

나는 그에게 속아서 허가도 날 수 없는 조건의 토지에 매달려 2년여 동안 헛고생만 실컷 하고 퇴직금까지 몽땅 날려 버린 셈이다. 그는 영영 소생하지 못하고 몇 년인가의 형을 마치고 시골 단칸방에서 부인의 행상으로 겨우 연명하고 있다고 했다. 그에게 돈 받으러 갔다가 오히려 쌀을 사 주고 돌아선 적도 있었다. 그에게 받아 간직한 차용증서는 볼수록 악몽이 되살아나 시효도 지나기 전에 폐기해버렸다. 이렇게 해서 내 공무원생활의 퇴직금은 정작 본인은 한 푼도 써 보지 못 한 채 몽땅 날아간 셈이다.

(5) 운수업 동업자의 배신─1차(운수업)
어음할인 사기, 공원묘지 사기로 퇴직금을 몽땅 날려버리고 나니 이제 남은 것은 역삼동의 집 한 채뿐이었다. 세상이 추하고 인간이 두려워 허구한 날 방에 틀어박혀 있을 때였다. 1981년 경 평소 약간 면식이 있는 사람으로 인천에서 택시 회사를 경영하는 장○현 사장이 찾아왔다. 부도 직전인 '송도여객'이란 버스회사를 인수해서 함께 운영하자는 얘기였다.

나는 사장직을 맡고 자신은 회장직을 맡아서 둘이 잘 해 보자고 했다. 나의 돈 형편을 얘기했더니 친구 돈을 끌어들여서라도 버스 4대만 사면 사장 자리를 줄 것이고, 자기는 버스 20여 대를 사서 투자할 것이라고 했다. 대당 2천만 원이었다. 솔깃하여 아내를 통해 돈을 빌려 내 몫으로 버스 2대를, 아내친구 돈으로 그녀 몫으로 2대, 도합 4대를 구입함으로써 나는 버스회사의 사장이 되었다. 새 출발이라는 의미에서 사명도 '경인여객'으로 바꿨다.

막상 버스회사의 사장이 되었으나 인사 재무 등 모든 경영권은 회장이 독단적으로 농단(壟斷)했다. 그래도 사장이 된 이상 최선을 다하여 적자회사를 정상궤도에 올려놓겠다고 매일 새벽 5시에 출근했다.

회사 경영 방침으로 첫째 노선개선, 둘째 요금 빼먹기(삥땅) 근절, 셋째 안전운행, 넷째 복지향상을 목표로 분골쇄신(粉骨碎身)했다. 황금 노선은 타 회사가 다 차지하고 있었고 우리 노선은 모두 적자노선이었다.

우선 노선개선을 위하여 관계 부처를 찾아다니면서 '공동노선제' 도입을 추진하고, 요금 빼먹기 근절을 꾀하기 위하여 200여 명의 차장에게 정신(信心)교육과 한글교육을 실시하고, 안전과 복지향상을 위하여 교육과 감독을 철저히 하는 등 온갖 노력을 다하였으나, 적자는 누적되기만 했고, 사고는 속출했고, 요금 빼먹기도 여전했고, 노조는 임금인상만 외쳐 댔다. 회사를 정상궤도에 올린다는 것은 요원한 일이었다.

　　1년여 동안 온갖 인맥을 동원하여 관계부서와 교섭하여 공동노선제가 되도록 방침이서 시행을 눈앞에 두고 있을 무렵, 장 회장이 자신의 출자금 전액(버스 20대)을 몰래 팔아먹고 회사 운영권을 제삼자에게 넘겨 버렸다.

　　청천벽력 같은 동업자의 배신이었다. 나는 하루아침에 아무 실권 없는 허수아비 사장으로 전락하고 말았다. 회사의 경영권을 인수한 서울 소재 '제일여객'은 합법적 비합법적으로 나에게 사장직을 내 놓으라고 압력을 가해왔다. 그러는 한편 이면에서 버스 1대당 500만 원씩과 사장직을 내놓는 대가로 500만 원 주겠다고 제의했다. 3, 4일 버티다가 가망이 없을 것 같아 경인여객 사장직에서 물러나고 말았다. 8천만 원 투자하여 2천 5백만 원 건진 셈이다. 이후 나는 아내에게 빌린 돈, 아내 친구 돈을 갚느라고 오랫동안 생고생을 해야 했다.

⑹ 건축사업 동업자의 배신-2차(건축)

두 번의 거듭된 실패로 부채에 짓눌려 또 안방구석에 처박히는 신세가 되고 말았다. 그리고 어음할인 사업 사기와 버스회사 동업자의 배신에 분노와 증오를 삭이는 데는 상당한 시일이 필요했다.

1982년경의 어느 날 아내가 평소 알고 지내던 조○구 사장이 나를 찾아 왔다. 우이동에 좋은 땅이 있으니 빌라를 짓는 사업을 동업하자는 취지였다. 돈이 없다고 했더니 허가만 내 주면 돈은 자기 쪽에서 얼마든지 댄다는 동업 조건이었다. 구두로 합의하고 내가 사장으로 활동했다.

까다로운 허가서류를 들고 현직 구청장의 도움으로 심의에 통과되었다. 빌라 48세대의 건축허가를 받은 나는 사장 자격으로 매일 출근하여 공사를 감독했다. 우이동 최상급지에 짓는 빌라인데다가 때마침 호경기를 만난데다가 내신용까지 곁들여져 기초공사 단계에서 사전 매입희망자의 매매로 예약이 끝나버렸다.

설계도 시방서대로 자재를 충분하게 사용하여 성실시공을 하려고 불철주야 현장감독을 했다. 한데 조 사장은 나 몰래 시멘트, 철근, 석재, 하수 등 모든 분야를 설계도 시방서 기준에 못 미치게 집행하여 날림공사를 시도하기에 그러지 말라고 타이르자, 그 때문에 나와 잦은 언쟁이 일게 되었다.

그러던 어느 날 건축현장 지정식당(한비飯場) 점심시간에 많은 일꾼들 앞에서 갑자기 "아무 것도 아닌 놈이 공사에 콩 놔라 팥 놔라 간섭하냐?"라고 소리소리 지르며 삽을 높이 쳐들고 나를 위협했다. 황당하지만 대항도 못하고 그 자리를 모면했다. 그는 나를 동업자로 대우하는 것이 아니라 월급 몇 푼 주는 월급쟁이 사장 쯤으로 취급해서 직원들에게 자신만이 진정한 사장인 것으로 과시했다.

그제야 허가서류를 면밀히 검토해 보았더니 그는 제3자(김○일)와 동업조건으로 허가를 받았고, 나는 완전히 배제되어 있었다. 허가 전 동업자 서류를 챙겨 보지 않은 나 자신을 원망하면서 나는 또 속았다고 생각하고 그들의 위협에 굴하기로 했다.

그때까지 아내가 그에게 받지 못했던 돈과 그곳 공사에 투입한 돈을 합하여 이자 계산해서 몽땅 받아 낼 수 있었던 것은 천행이었다. 건축업에서도 이렇게 허망하게 배신당할 수 있다는 교훈을 톡톡히 배운 셈이다. 이때부터 나는 묵은 부채를 조금씩 갚아 나갈 수 있게 되었다.

⑺ 건축업 동업자 배신–3차(건축)

1983년 경 내가 조○구 사장에게 배신당했다는 소문이 작은 건축업자들 사이에 퍼졌던 모양이다. 전혀 알지 못하는 사람으로부터 동업하자고 전화가 걸려 왔다. 누구냐고 물으니 전에 조○구 사장과 동업을 하다가 갈라선 안○준 사장이라고 자칭하며 추파를 던져왔다. 자기도 조에게 배신당한 처지라 내가 당한 배신을 위로하는 척하며 내게 은근히 접근해 왔다.

만나본 즉 좋은 물건이 있으니 나와 동업을 하자는 얘기였다. 나는 나에게 대표이사 직을 주면 동업하겠다고 했다. 쾌히 승낙했다. 둘이서 200만 원을 주고 회사 하나를 인수했다. 등기이전을 앞두고 그가 공동대표제를 채택하면 어떻겠느냐고 말을 바꿔 제의했다. 또 암수가 있구나 싶었지만 면전에서 거절하기가 뭣해서 할 수 없이 공동대표제를 채택하기로 했다. 그가 제시하는 사업은 오류동에 있는 산자락 임야 약 1,000평에 연립주택을 짓는 사업이었다.

지적도를 살펴본즉 임야로 등고선이 험준한 악산이라 건축허가에서 제외된 땅이었다. 그래서 건축허가신청서를 제출하기만 하면 으레 '허가불가능'이라고 찍혀 나오는 땅이었다. 땅값은 아주 쌌다. 그러나 그 땅 주변, 즉, 위, 아래, 옆에 집이 이미 꽉 들어차 있었다. 허가만 나면 3, 4배의 이득은 무난할 것으로 판단되었다. 나에게는 허가와 민원행정을 맡기고, 자기는 건축을 맡아 동업을 하자는 뜻이었다. 한데 도면과 현장을 답사해 보니 허가조건에 별로 문제가 없는 땅으로 판단되었다.

지도상의 등고선이 문제될 뿐 실지로 산을 몽땅 파내 버리면 주위의 주택지와 동일 레벨이 되기 때문에 아무 문제가 없었다. 그래서 구청을 드나들며 설득하고 교섭하여 산을 몽땅 들어내는 토지 형질변경을 조건으로 하는 연립주택 48세대 허가를 받아냈다.

그때부터 그는 나에게 건축자금을 투자하라고 독촉했다. 그래서 전 사업을 하면서 받은 돈 전부를 투자했다. 건축허가는 내가 이미 받아 냈으니 그때부터는 그가 건축 현장 현금지출까지 마음대로 전횡(專橫)하고 나에게는 주위에서 데모하는 것이나 막으라고 했다. 공사가 시작되고 기초공사를 하는데 사전 분양이 잘 되어 우리로서는 큰 돈 들이지 않고 시공하게 되어 건축을 무사히 마칠 수 있었다.

한데 어느 날 그가 일방적으로 '이익 분배는 투자한 만큼 하는 것으로 한다'고 선언하는 것이 아닌가. 또 여기가 함정이었구나 생각했다. 그래서 나는 상식적으로 '투자는 투자이고 이익은 동업자가 균등하게 나눠야 한다.'고 주장했다. 그러나 그는 투자를 기준으로 나누자고 고집했다. '이익을 양 동업자가 균등하게 분배한다는 확실한 약정을 하지 않은 것'이 또 나의 불찰이라고 스스로 인정했다. 그는 어디에 지출되었든 지출과는 관계없이 통장에 입금된 액수만을 기준해서 투자로 간주하고 그것을 근거로 이익분배를 하자는 것이었다.

지난번 사업장에서는 삽으로 덤벼들더니 이번에는 욕설 퍼붓기로 덤볐다. 투자와 사업소득 분배의 구분을 하지 않고 자기욕심만 챙기려는 궤변에 분개하여 법정 다툼으로 가려다가 '내가 다시 한 번 당하고 말자' 고 마음을 다지고 그의 뜻을 따랐다. 그는 77% 입금했고 나는 23%(7,700만원)를 입금했다.

23%의 투자원금과 23% 상당의 이익금을 받은 즉 당초 투자금의 3, 4배를 챙길 수 있었다. 그 이상 함께할 필요가 없어 공동대표에서 탈퇴하여 나왔다. 이 사업을 통해서 그 동안 진 빚을 완전히 청산하게 되었고, 오랜만에 우리 집은 흑자살림으로 돌아서게 되었다.

(8) 겉으로(복덕방에게) 속고 속으로 남다

1984년 말 젊은 복덕방(김백중)이 찾아왔다. 사업을 단독으로 할 수 있는 땅을 구입하라는 것이었다. 건축업을 동업하다가 두 사람에게 배신당한 경험이 밑천이 되어 어느 정도의 자신감은 있었다. 그래서 면목동에 있는 임야 1,700여 평을 구입하기로 했다.

이를 현장답사하고 검토해 보니 임야에 무허가 주택 30여 세대가 들어서 있었다. 이를 매수하게 되면 3개월 이내에 매도자가 책임지고 철거시켜 주겠다고 했다. 그를 믿고 계약서에 명기하고 돈을 지급했다. 한데 3개월이 돼도 무허가 주택은 그대로 있었다.

내용증명을 발송하고 손해배상 소송을 제기했다. 소송 심리 하루 전에 매도한 여성의 남편이란 사람으로부터 전화가 걸려 와서 만나 보니 청와대에 근무하는 현역장군이라 했다. 나는 단호하게 매도자(그의 부인)가 책임질 사항이므로 예정대로 법적 조처를 취하겠다고 으름장을 놓았다.

그때 그는 자신의 아내가 저지른 일이니 철거비용을 감액하고 등기이전을 해 주겠다고 제의했다. 그래서 계약금에서 1/4정도 감액하고 등기이전을 받았다. 30여 세대를 철거하는데 변호사 없이 손수 소송을 진행했다. 정리 비용을 수십 만 원에서 수백 만 원 주어도 철거하지 않은 사람은 철거소송을 하여 정리하였는데, 3년이 이상 걸렸다.

때로는 떼를 지어 말썽을 부리기도 했으나 그 당시에는 아직 전국철거민연합 같은 다루기 힘드는 단체가 없어서 비교적 쉽게 해결할 수 있었던 것 같다. 건축을 곧 하지 않으면 토지 상한선 초과에 대한 규제법에 저촉되게 되기 때문에 친지에게 염가로 분양하여 연립주택을 짓게 하고, 교회를 지원하기도 하고, 반값으로 팔기도 하고, 남은 땅은 온 가족에게 증여해 주었다. 그런 식으로 정리했는데도 나로서는 운 좋게 적지않은 이익을 챙길 수 있었다.

(9) 국회의원 입후보자 비용 융통

1991년~1994년 무렵 김○래(모 교회 장로)란 이가 국회의원에 출마하겠다고 돈을 빌려 달라고 했다. 그는 많은 부동산을 소유하고 있는 사람으로 그 지역에서 꽤 재력과 덕망이 있는 사람으로 알려져 있었고, 전 번에 출마했다가 차점으로 아깝게 고배를 마신 사람이었다. 이번에는 틀림 없다고 장담했다.

그래서 부동산을 많이 가진 사람이라 안심하고 수억이 넘는 돈을 빌려줬다. 담보를 받고 빌려 주었어야 하는데 차용증서만 받고 빌려주었다.

한데 불행히 선거활동 중 교통사고로 그가 죽고 말았다. 그에게 빌려준 돈은 고인 본인과 나 사이에 거래한 것으로 가족과는 무관한 터였다. 차용증서만 가지고는 이 채권을 회수하기는 쉽지 않다고 판단되어 부동산을 압류할 수밖에 도리가 없었다. 남의 돈까지 끌어다 빌려준 터라 밤잠을 설치면서 고심했다.

3년여 걸려서 빌려 준 돈을 전부 회수하였다. 그래서 빌려온 돈을 모두 갚았다. 이제는 노후 생활대책이나 세워서 유유자적할 작정이다.

⑽ 나의 경제 8 계(戒)

다음의 수칙은 나의 생생한 경험에서 우러나온 것이다. 꼭 유념할 일이다.

① 친척일수록 돈 거래를 하지 말라. 그냥 주라. 돈 잃고 친척

까지 잃을 수 있다.

② 동업은 하지 말라. 꼭 해야 할 형편이면 꼼꼼히 문서를 챙겨 공증까지 하라.

③ 충분한 담보 없이 구두약속하고 큰돈을 빌려 주지 말라.

④ 인정, 온정, 체면 등으로 보증을 서지 말라

⑤ 일확천금의 요행을 바라지 말라. 반드시 함정이 있다.

⑥ 분에 넘치는 삶은 살지 말라. 올려다 보기보다 내려다 보고 살라.

⑦ 지혜로운 자와 동행하면 지혜를 얻고 미련한자와 사귀면 해를 받느니라.(잠13:20) 경험한 바 유념하라.

⑧ '거짓'은 마귀사탄의 본성이었다. 마귀사탄은 타협이 없었다. 물리쳐야한다. 평생 시달린 경험이고 현실이고 국가안보의 근간이다.

끝맺음

돌이켜 생각하니 늘 내 둘레를 맴돌며 떠나지 않는 일이 두 가지가 있었다. 하나는 가난이오, 다른 하나는 공산주의였다. 가난은 태어나면서부터 나와는 떼려야 뗄 수 없는 사이였다. 내게 꼭 달라붙어 떨어지지 않았다. 내 몸의 일부였다. 초근목피(草根木

皮)로 끼니를 이었다. 찢어지는 가난이었다.

처음 육군소위로 임관했을 때부터 나는 적은 봉급을 쪼개어 고향 부모형제를 돕지 않으면 안 되었다. 세 형님들 송아지, 논밭, 가옥 등의 마련을 도와드렸다. 내가 어머님을 모시지 못한 것과 나만 형님들보다 공부를 더 한 것이 죄밑이 돼서, 또 '내 주변부터 잘 살아야 나라가 잘 된다.'는 내 소박한 지론 때문에 지원의 손길을 뻗었던 것인데, '밑 빠진 독에 물 붓기'나 마찬가지였고, 내가 기대했던 성과도 없었다. 그 후 나의 결혼과 아이의 출생으로 나의 지원은 점점 줄었다가 자연스럽게 끊기고 말았다.

군에서 제대하여 실업자로 전전하면서 가까운 사람에게 적은 돈을 빌려 주었다가 떼이기도 했고, 아이들 학비가 한창 많이 들 때 공직에서 물러나 퇴직금은 한 푼도 써 보지 못하고 사기꾼에게 털렸고, 형편이 좀 나아졌을 때 사업 밑천을 대 줬다가 종무소식이 되어 '돈 잃고 사람 잃는 꼴'이 된 적도 있었고, 또 경험 없이 사업을 벌였다가 사기당하기도 했고, 동업했다가 배신당하기도 했고, 욕심 부리다가 손해 보기도 했고, 남의 출세 꿈을 돕다가 함께 나락에 빠지기도 했다. 그런 실패와 불운 속에서도 채(蔡)씨 가훈인 매사진선(每事盡善)의 정신으로 오뚝이처럼 다시 일어서곤 했다.

또 한 가지 늘 내 둘레에 달라붙어 떨어지지 않은 것은 공산주의 또는 좌경사상이었다. 이것은 자유롭게 행복을 누리는 권리와 생명과 재산을 보호하는 안전의 문제다. 자유와 안전에 관한 내 불안과 공포는 철부지 때부터 시작되었다. 해방의 기쁨이 채 가시기도 전에 공산 파르티잔의 공포가 두메산골 마을을 덮쳤다. 장총, 대창, 괭이 등 무기를 들고 한밤중에 동네 이장(里長)과 유지 한 사람을 개울가에 세워 놓고 총살시키는 총소리를 내 귀로 들었다. 나의 공산주의에 대한 불안과 공포는 이때부터 싹튼 것이다. 누가 우리 동네 유지와 그밖의 이름 모를 수많은 양민의 원혼(冤魂)을 달래 줄까.

공산 파르티잔, 남로당, 좌익집단들이 대구, 제주폭동, 여수 순천 반란사건 등을 일으켜 양민을 괴롭히거나 학살했고, 드디어 북한 공산당은 6·25 남침을 감행했는데, 나는 6·25를 직접 겪었다. 내 친형 하나는 6·25 전쟁 때 그들에게 희생되었고 다른 하나는 부상당했고, 수많은 고향 사람들이 그들에게 희생당했다.

휴전 이후에도 북한 공산당은, 안으로는 울진, 삼척, 청와대 뒷산 등에 간첩침투작전을 폈고, 밖으로는 아웅산 테러, 칼기(KAL機) 폭파 등의 갖가지 만행을 저질렀다. 또 공산주의자와 좌경세력은 학연, 전교조, 진보단체, 종교단체 등 여러 조직의 탈을 쓰고 북한 공산당에게 마구 퍼 주기도 하고, 온갖 분야에 암세포처럼 번져 나라를 혼란에 빠뜨리고 국가안위를 좀먹고 있다.

이런 파란만장(波瀾萬丈)한 인생유전(人生流轉)의 삶을 살다 보니 어느덧 해는 서산에 뉘엿뉘엿 기울고 있음을 문득 깨닫는다.

오늘의 나, 그리고 우리 가족은 진정 '하나님의 은혜로 된 것이 므로…, 그 일은 내가 한 것이 아니라 나와 함께 하시는 하나님의 은혜로 한 것이었습니다(고전 15:10)' 라는 말씀 그대로인 즉 그 저 감읍할 따름이다.

'구하라 그러면 너희에게 주실 것이다…… (마7:7)' 하셨으니 남은 세월을 공산적구(共産赤狗)의 준동이 완전히 소멸될 때까지 한결같이 구할 것이다. 바람과 호수를 꾸짖었듯이(마가 4:39) 이 땅의 붉은 마귀를 꾸짖어 물리쳐 주실 것 간절히 빌어 마지않는 바이다.

내가 태어난 집
청송군 현서면 갈천리 790번지

아내와 함께

"내가 너희에게 평안을 주노라. ……너희는 마음에 근심하지도 말고 두려워하지도 마라(요 14:27)"라고 하셨으니, 예수님의 말씀을 믿고 의지하며 살 것이다.

우리 부부가 반세기 넘게 함께 수많은 역경을 헤쳐 나올 수 있었고, 또 아들, 딸 손자 손부 등 우리 가족이 건재하게 해 주심은 하나님께서 늘 '우리와 함께 하여' 주신 은혜와 사랑이고, 둘레의 모든 이의 도움임을 알고 삼가 감사드린다.

2021년 5월 말
잠실 아파트에서

채 홍 석 산 문 집

미완의
삶